Bébé parle

Bébé parle

Comment utiliser la langue des signes
pour communiquer avec son bébé

Monica Beyer

Directeur de la création: PETER BRIDGEWATER

Éditeur: JASON HOOK

Directeur éditorial: CAROLINE EARLE

Directeur artistique: SARAH HOWERD

Chef de projet: HAZEL SONGHURST

Maquettiste: JANE LANAWAY

Illustrateur: MARK JAMIESON

Publié pour la première fois par Penguin Group

Titre original: *Baby talk*

© The Ivy Press Limited, 2006

© Le Courrier du livre, 2007
pour la traduction

© Éditions Caractère pour l'édition en langue française au Canada.

Dépôt légal – Bibliothèque et Archives nationales du Québec, 2007

ISBN-10: 2-923351-61-4

ISBN-13: 978-2-923351-61-2

Traduit de l'Anglais par Maud Beylle

Imprimé en Chine

Visitez le site des Éditions Caractère
www.editionscaractere.com

Gouvernement du Québec – Programme de crédit d'impôt pour l'édition de livres – Gestion SODEC

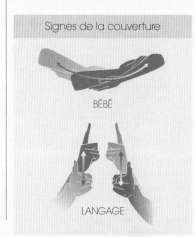

Signes de la couverture

BÉBÉ

LANGAGE

Note de l'éditeur

Bien que l'auteur se soit efforcé de fournir divers liens Internet au moment de la publication, ni l'éditeur ni l'auteur ne peuvent être tenus responsables d'erreurs ou de changements d'adresses survenus après la sortie de l'ouvrage. De plus, l'éditeur décline toute responsabilité quant aux auteurs tiers et au contenu de leurs sites Internet.

Note de l'auteur

Dans cet ouvrage, je considère le père et la mère comme les premières personnes à apporter leurs soins au bébé. Toutefois, vous pouvez librement adapter ces propos à votre situation familiale. D'autre part, rappelez-vous que l'évolution physique, la vitesse et les capacités d'apprentissage varient d'un bébé à l'autre; aussi, si vous vous posez des questions relatives au développement de votre enfant, consultez votre pédiatre.

Sommaire

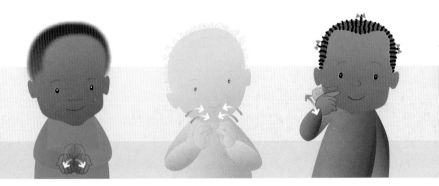

Avant-propos

Par Alan Greene, docteur en médecine

Je suis un adepte de la communication par signes avec les bébés depuis des années. En tant que pédiatre, quand j'ai commencé à lire ce livre, je me suis posé de nombreuses questions. L'apprentissage d'un langage des signes à de si jeunes enfants est-il approprié à leur âge et à leur développement? Les instructions données sont-elles faciles à suivre? Recommanderais-je cet ouvrage aux parents ou aux puéricultrices? La réponse est oui!

D'autre part, je me suis dit: «Cela doit être amusant.» En devenant parents, nous voulons toujours bien faire. Cependant, trop occupés à atteindre nos «objectifs», nous en oublions de nous amuser. Ce qui fait la beauté de *Bébé parle*, c'est qu'il allie dans une seule activité des jeux stimulants du point de vue cognitif et physique avec la communication et l'établissement de liens affectifs. De plus, il s'agit d'une activité que votre enfant et vous-même pouvez pratiquer à votre rythme. L'auteur, Monica Beyer, souligne que l'apprentissage du langage des signes à votre enfant n'est pas un moyen d'asseoir votre autorité parentale, mais une manière alternative d'interagir avec amour.

Dès les premiers jours, votre bébé utilise le langage du corps pour communiquer avec vous. L'un des premiers instants qui vous remplit de joie est celui où vous comprenez ce que votre enfant essaie de vous dire. «Oui!, vous dites-vous avec amour et soulagement, nous communiquons.»

Apprendre le langage des signes à votre bébé lui permet d'étendre et d'affiner ses capacités de communication non verbale. Il découvrira de nombreuses choses qu'il voudra exprimer avant de pouvoir les dire clairement. Grâce à la logique et à votre patience, en utilisant les signes, vous aiderez votre enfant à traverser le fossé de la communication qui se creuse au moment de l'acquisition du langage. Il vous est impossible d'échapper aux problèmes d'incompréhension qui jalonnent le chemin qui vous amène à communiquer. Toutefois, si en apprenant ce langage simple et fluide vous arrivez à mieux vous comprendre, à vous libérer d'un peu de cette frustration qu'éprouvent souvent parents et jeunes enfants, et à vous amuser, quelle grande idée!

Dans *Bébé parle*, Monica Beyer développe cette même idée et vous en facilite la compréhension. Elle vous en explique le processus de manière claire et

chaleureuse, et répète les points clés uniquement pour rassurer les parents: «Oui, mon bébé et moi faisons ce qu'il faut.» Elle vous fait découvrir les premiers signes liés aux besoins (lait, manger, encore) ou aux impressions fortes (mère, père, chien), puis vous entraîne vers des signes plus avancés à l'usage de l'enfant qui fait ses premiers pas. Les experts qu'elle cite sont suffisamment nombreux pour prouver que son livre dispose de solides bases sans qu'un jargon technique ne vienne vous empêcher de vous amuser.

Tout au long du livre, vous trouverez les témoignages de parents utilisant les signes, parmi lesquels figurent l'auteur et sa fille, Lauren. Ces histoires vraies vous étonneront, vous inspireront et, prises dans leur ensemble, vous aideront à évaluer de manière réaliste vos attentes. L'apprentissage des signes est un voyage que vous pouvez faire en famille. Votre bébé et vous avez acquis vos premiers signes. Les membres de votre famille sont curieux. Vous expliquez. Très vite, frères et sœurs, grands-parents et nounous s'y mettent: «à manger», «papa, gâteau», «mamie, je t'aime». On n'est jamais trop vieux pour un peu de babillage.

À vous de jouer et amusez-vous: c'est bon pour vous.

DR ALAN GREENE
Auteur de *From First Kicks to First Steps* («Des premiers coups aux premiers pas») et de *Drgreene.com*.
Service pédiatrie, hôpital des enfants Lucile-Packard, Université de Stanford.

Introduction

Échange de signes avec bébé

Parler par signes avec son bébé, c'est quoi? La nouvelle mode? Un truc que «wonder maman» fait avec superbébé? Le meilleur moyen de retarder l'acquisition du langage? Vous vous doutez déjà que la réponse à toutes ces questions est un grand NON!

Les gens communiquent par signes avec leurs bébés depuis des années. La raison en est un profond désir de la part des parents ou des nounous de comprendre ce qui se passe dans la tête de bébé: de quoi a-t-il besoin? Que veut-il? Qu'est-ce qu'il regarde? À quoi pense-t-il et de quoi se souvient-il?

L'expression naturelle

Les nourrissons développent les muscles agiles de leurs mains avant de développer ceux dont ils ont besoin pour la parole: ils sont donc capables de communiquer avec vous par gestes avant de pouvoir parler. La plupart des bébés inventent leurs propres signes pour se faire comprendre. Un bébé peut apprendre à remuer la main pour dire au revoir ou à montrer son nez quand il a besoin de se moucher. Ces gestes symboliques constituent une forme de communication utilisée par les enfants au stade préverbal. Un bébé peut pointer du doigt et émettre des sons, mais il dispose aussi de ses mains et de son corps pour communiquer.

Il est facile d'encourager et d'étendre cette forme naturelle de communication. Parler par signes avec un bébé n'est pas difficile, et des années de recherches ont prouvé que cela favorise l'acquisition du langage. C'est amusant, édifiant et incroyablement étonnant.

C'est votre choix

Mère de trois enfants, j'ai appris à communiquer par signes avec eux en m'appuyant sur l'expérience d'autres parents. C'est après avoir vu une émission à la télé sur les bébés et les signes que j'ai décidé d'essayer. Le premier de mes bébés à utiliser les signes ayant exprimé des sentiments et des pensées avancés, je fus convaincue d'avoir fait un excellent choix en tant que parent. À cette époque, il existait peu de références relatives au langage des signes et à l'enfant, aussi, je développai mon site Internet afin d'aider les autres parents.

«Vu oiseau, maman?»
Partager ce qui l'intéresse
est un des bénéfices de
l'utilisation des signes.

Expériences partagées

Partout dans le monde, des parents communiquent avec leur bébé en utilisant des signes. Imaginez que le vôtre puisse vous faire comprendre qu'il a besoin d'être changé, qu'il voudrait un verre de jus de fruits, que ses oreilles lui font mal ou qu'il a vu un oiseau sur un arbre. Les enfants qui n'utilisent pas les signes pleurent, râlent, geignent, montrent du doigt ou grognent pour exprimer leurs désirs, et vous laissent, vous, parents, déchiffrer ces signes, dont le sens dépend du ton et de l'intensité. Si vous lui apprenez le langage des signes, votre enfant associera graduellement les gestes aux activités ou à ses objets préférés. Il sera alors moins frustré, et vous aussi.

Il ne vous faudra pas beaucoup de temps pour vous y mettre. Vous avez simplement besoin d'une poignée de signes, d'une bonne dose de motivation, de constance, d'un peu d'aide et de quelques conseils de base. Souvenez-vous que les capacités et la vitesse d'apprentissage des enfants varient. Si vous êtes confronté à des problèmes de développement, consultez un pédiatre.

Les mythes relatifs à l'usage des signes

L'utilisation des signes retarde la parole
Selon les experts ainsi que les nombreux parents utilisant les signes avec leurs enfants, la réponse est NON. Au contraire, cela peut favoriser le développement de la parole, et les spécialistes des problèmes de langage chez l'enfant le recommandent.

L'utilisation des signes fera de votre superbébé un génie
Évidemment non. Vous pourrez simplement communiquer avant que votre bébé ne puisse parler.

L'utilisation des signes demande beaucoup de temps et d'efforts
Échanger des signes avec votre bébé peut devenir un processus naturel qui ponctue votre quotidien. Il vous suffit d'apprendre les signes petit à petit comme le fait votre enfant.

Utilisation de la langue des signes

Je vous recommande vivement d'utiliser un langage des signes officiel (comme le Langage des Signes Américain ASL) pour communiquer avec votre bébé. Et cela pour plusieurs raisons. La première donnée par les professionnels et les parents est qu'il vous est ainsi plus facile de communiquer avec les personnes utilisant déjà ce langage. Il peut s'agir d'un parent ou d'un ami souffrant de surdité, ou encore d'autres enfants qui parlent par signes avec leurs parents. Même si les signes varient d'une région à une autre (et encore plus d'un pays à un autre), ils restent souvent standards et vous pouvez les apprendre plutôt que de créer votre propre langage.

Un même langage

La plupart des ouvrages et des émissions télévisées relatifs au langage des signes pour bébé sont fondés sur l'ASL, et dans certaines crèches on adopte de plus en plus l'ASL pour communiquer avec les nourrissons. Le personnel pense que cela permet aux enfants de s'exprimer plus clairement, plus tôt.

La précision est la clé

Le fait que les signes de l'ASL sont bien trop complexes à former pour la main de bébé est une idée reçue. Souvenez-vous que nous vous encourageons à parler normalement à votre enfant plutôt que d'utiliser un vocabulaire enfantin ; nous devons être un modèle clair et précis de communication verbale. Les premiers mots de bébé seront confus, mais son langage s'améliorera et s'enrichira petit à petit. Il en va de même pour le langage des signes. Les signes qu'il vous fera en réponse manqueront peut-être de précision, mais en grandissant et en développant ses facultés motrices il apprendra à faire correctement le signe correspondant à un mot.

Toutefois, je crois qu'il est indispensable de pouvoir créer vos propres signes lorsque aucun ouvrage ne vous les fournit. Par exemple, je ne trouvai pas de signe officiel pour les Télétubbies, j'en inventai donc un (le doigt en point d'interrogation au-dessus de ma tête symbolisant le personnage de Laa Laa).

« La communication, comme le contact physique, est un composant essentiel du développement de l'enfant. Tirons les bénéfices du magnifique héritage que les sourds nous ont laissé. Cet héritage est comme un coffre aux trésors qui ne demande qu'à être ouvert. Et la clé est entre vos mains ? »

Dr Joseph Garcia, *Signe avec moi*

Tour du monde de la langue des signes

American Sign Language (ASL)

British Sign Language (BSL)

Australian Sign Language (Auslan)

Langue des signes québécoise (LSQ)

Langue des signes française (LSF)

Lenguaje de Signos Mexicano (LSM)

Lengua de Signos Espanola (LSE)

Voici quelques-unes des nombreuses langues des signes parlées dans le monde. Si votre pays n'est pas cité dans la liste ci-dessus, informez-vous auprès de la communauté des malentendants locale. Sinon, l'ASL reste une option si vous disposez d'un ordinateur car de bons dictionnaires sont disponibles en ligne (voir page 126).

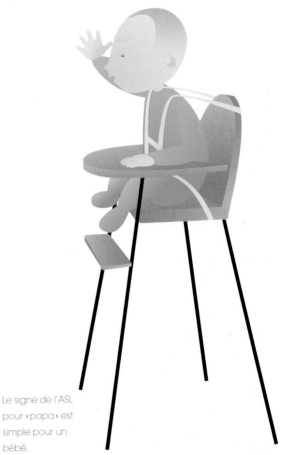

Le signe de l'ASL pour « papa » est simple pour un bébé.

Qu'en dit la recherche?

Bien que cela semble être la nouvelle tendance, l'utilisation de la langue des signes avec les bébés est apparue il y a sept ans. Et, même avant, les familles de malentendants, les orthophonistes et les spécialistes du développement de l'enfant utilisaient les signes avec les enfants au stade préverbal. La recherche produisit des résultats remarquables.

Le Dr Linda Acredolo et le Dr Susan Goodwyn, fondatrices de Baby Signs, Inc., ont conduit des recherches sur ce sujet pendant plus de vingt ans et ont contribué à faire connaître au public l'utilisation des signes avec les bébés. Leurs découvertes prouvent que les bébés ayant pratiqué les signes obtiennent non seulement de meilleurs résultats aux tests de langage, mais aussi des résultats de 12 points supérieurs à la moyenne au test d'intelligence effectué à l'âge de 8 ans.

«Manger» pourrait bien être l'un des premiers signes de votre bébé, et l'un de ses premiers mots!

« Ayant travaillé directement avec des milliers d'enfants et ayant pu étudier avec soin l'apparition du langage chez des centaines d'entre eux pour nos recherches, je peux affirmer que l'utilisation des signes n'est en aucun cas associée au retard de langage. »

Dr Michelle Anthony

Des signes intelligents

Le Dr Michelle Anthony, collaboratrice du Dr Reyna Lindert dans le développement du programme « Signing Smart », parle ainsi des signes et du développement de la parole : « L'apprentissage de la parole est inscrit en nous. Aucun enfant ne peut choisir de ne pas parler parce qu'il peut communiquer par signes ou se sent plus à l'aise avec d'autres modes de communication. Ce serait comme dire : "J'ai décidé de ne pas prendre un centimètre cette année. Ma taille actuelle me convient, je vais donc avoir la volonté de ne pas grandir." Cela est physiologiquement impossible. Un enfant ne peut pas choisir de ne pas grandir, pas plus qu'il ne peut choisir de ne pas apprendre à parler. »

Le développement de la parole

En 2005, une étude menée par l'Université de Californie à Berkeley fut présentée à la convention annuelle de l'American Psychological Association à Washington. Ce compte-rendu soulignait certains travaux des Dr Michelle Anthony, Reyna Lindert et Diane Anderson, qui montrent que les enfants ayant utilisé les signes associés à des stratégies d'interaction spécifique, comme le prévoit Signing Smart, ne souffrent d'aucun retard de langage. Au contraire, ces enfants sont plus enclins à faire preuve d'une amélioration de leur production verbale générale que ceux qui n'ont pas communiqué par signes.

Les signes sur grand écran

Avez-vous vu *Mon beau-père, mes parents et moi* ? Dans cette superproduction hollywoodienne, un bébé non seulement apprend le langage des signes, mais l'utilise facilement. Ce film montre comment utiliser les signes avec bébé et peut vous inspirer ; c'est une chose de se le faire expliquer, mais voir comment cela se passe en est une autre.

1 Qu'attendre des signes ?

Avantages et astuces

L'utilisation de la langue des signes comporte de nombreux avantages. Mais le plus grand bénéfice que vous en retirerez est le niveau de communication élevé que vous atteindrez. Vous donnerez à votre enfant des outils qui lui permettront de pouvoir s'exprimer avant qu'il ne puisse parler. Vous pourrez voir le monde à travers les yeux de votre bébé et ainsi répondre plus facilement à ses besoins : moins de devinettes pour vous et moins de frustration pour tous.

Voici quelques points à retenir avant vos premiers échanges par signes :

SOYEZ CONSTANT Utilisez toujours le même signe, de la même manière pour un objet ou une action. Vous aiderez ainsi votre bébé à se familiariser avec ce signe et il sera capable de le reproduire plus rapidement. Ne vous acharnez pas à essayer d'apprendre tout le dictionnaire des signes en une semaine. Commencez par quelques signes, puis élargissez votre vocabulaire.

SACHEZ INTERPRÉTER Quand ils le font pour la première fois, les bébés ne reproduisent pas toujours correctement un signe, comme pour leurs premiers mots. Continuez à lui montrer le signe correct et son geste deviendra vite plus précis.

SOYEZ OUVERT AUX SUGGESTIONS Parfois, votre bébé créera un signe. N'hésitez pas à l'utiliser et à encourager sa créativité. Rappelez-vous que vous pouvez aussi transformer un signe inventé en signe plus officiel. Faites comprendre à votre enfant qu'il utilise un signe qui lui est propre et montrez-lui la version de l'ASL. Il se corrigera rapidement.

SOYEZ EXPRESSIF Utilisez votre visage et votre corps en plus des signes. N'hésitez pas non plus à prononcer le mot pour lequel vous utilisez un signe. Modifiez le ton de votre voix en fonction du contexte. Rendez-le drôle ou intéressant.

Parlez de la langue des signes avec les membres de votre famille et impliquez-les dans votre projet si vous le pouvez.

« Cela fait à présent quatre ou cinq mois que j'apprends la langue des signes à ma fille. Il y a trois semaines, elle m'a fait une explosion de signes. Elle est passée de quinze signes de base à plus de quarante. »

Kris, mère de Rachel, 14 mois

Lorsque l'aînée fait le signe « lait » à son petit frère, cela est non seulement amusant, mais aussi encourageant.

Planification de l'apprentissage des signes

6-9 mois Introduisez les signes liés aux besoins de base et aux impressions fortes.

7-12 mois Votre bébé commencera à vous répondre par signes.

Après 12 mois Introduisez les signes secondaires.

Vers 2 ans Votre enfant commence à combiner les signes et pourrait bien coordonner signes et parole.

Il ne s'agit que de simples suggestions et non de règles.

Devez-vous connaître toute l'ASL ?

C'est la question que les parents se posent communément. La réponse est simple : NON. À moins que vous ne connaissiez déjà l'ASL ou que votre enfant soit malentendant, vous pouvez n'apprendre que quelques signes, petit à petit. La plupart des parents les apprennent au même rythme que leur enfant.

Comment ça se passe ?

Lorsque vous commencerez à utiliser les signes avec votre bébé, attendez-vous à ce que son acquisition des signes ressemble à celle du langage parlé.

Votre enfant reconnaîtra un signe correctement utilisé bien avant de pouvoir le reproduire. La reconnaissance des signes et des mots est appelée langage réceptif ; être capable de former des signes et des mots constitue le langage expressif. Pour les signes, comme pour la parole, votre enfant connaîtra ces deux étapes.

Avec quoi jouer ? Le signe « ballon » vous évitera de devoir deviner.

«Je suis sûre que mon fils de 4 mois reconnaît les signes "lait" et "changer". Il est très excité par le signe "lait", il gigote et son visage s'éclaire d'un sourire. Si je le change dans un endroit inhabituel et que je lui fais le signe "changer", il se relaxe tout de suite comme s'il comprenait ce qui se passe.»

Gill, mère de Finlay, 4 mois, et de Sophie, 2 ans et demi

Est-ce un signe ?

Les signes pour lesquels la position des mains se ressemble commencent de la même manière. Autrement dit, vous pourrez avoir l'impression que votre bébé utilise le même signe pour plusieurs mots. Ceux que j'ai pu relever sont «ballon», «encore» et «douleur». Chacun de ces mots se forme avec les deux mains que l'on rassemble. On peut comparer ce phénomène à l'enfant qui dit «ba» pour «ballon», «boire» ou «mauvais».

C'est tout à fait normal. À vous de trouver ce que votre bébé veut vous dire, selon le contexte. Si vous le nourrissez, il en veut peut-être encore, mais s'il joue, il veut sûrement le ballon. C'est évidemment plus facile à dire qu'à faire et vous pouvez vous sentir perdu. Laissez le temps à votre enfant de faire ces signes plus clairement.

Communiquez

Lorsque votre bébé commence à faire des signes, il se peut qu'il n'utilise qu'un signe pour tout.

Tout comme un enfant qui commence à parler n'utilise qu'un mot pour plusieurs choses (comme «maman»). C'est une bonne chose. Il a compris que le geste signifie quelque chose. Ne vous sentez pas frustré par l'impression que les signes de votre bébé n'ont aucun sens, au contraire, réjouissez-vous qu'il ait compris.

Continuez de lui montrer d'autres signes et il commencera à les utiliser à bon escient.

Vous pouvez vous attendre à ce que j'appelle une explosion de signes. Il semble qu'après avoir maîtrisé plusieurs signes les enfants réalisent soudain que, grâce à eux, ils obtiennent ce qu'ils veulent ; leur capacité à absorber les signes comme une éponge devient alors évidente. C'est ce qui s'est passé pour mon fils, et je n'allais plus assez vite pour lui apprendre de nouveaux signes. Je reconnaissais ce regard qu'il me lançait quand il voyait quelque chose de nouveau et qu'il voulait en connaître le signe. Il désirait pouvoir m'en parler.

Premiers pas

Les bases

«Lait» est un des signes les plus populaires pour commencer et pour une bonne raison. C'est le signe qui correspond à l'un des besoins de base de votre enfant : la nourriture qui non seulement fait du bien à son corps mais est une source de confort, de chaleur, de joie et de confiance.

La première chose à faire, c'est de choisir les signes avec lesquels vous voulez commencer. Feuilletez les pages du chapitre «Premiers signes» et sélectionnez-en quelques-uns. Vous pouvez décider de n'en choisir qu'un, mais je vous recommande d'en prendre plusieurs. La plupart des parents utilisent les signes liés à la nourriture comme «lait», «manger» ou «boire». Ajoutez-y quelques signes amusants ou intéressants comme «chien», «bain» ou «ventilateur».

L'heure est venue

Montrez le signe à votre enfant avant, pendant ou juste après une activité. Par exemple, montrez-lui «lait» quand vous le nourrissez ou «manger» quand vous avancez la cuillère vers sa bouche.

Utilisez les signes avant et pendant les activités, et remontrez-les souvent à votre bébé. La constance est la clé. Vous n'avez pas non plus besoin de les reproduire à chaque instant, mais juste assez pour qu'il les assimile.

Utilisez les signes que vous avez choisis jusqu'à ce que votre bébé les reproduise, puis passez à un nouveau sans cesser de lui faire ceux qu'il a déjà acquis. En ajoutant des signes, vous réaliserez que votre vocabulaire s'accroît et que vous apprenez vraiment au même rythme que votre bébé.

Plus il saura de signes, plus il sera facile à votre bébé d'en apprendre, surtout s'il comprend qu'ils lui permettent d'obtenir ce qu'il veut. Vous serez vite à l'aise avec les signes, qui deviendront pour vous une seconde nature.

« Au début, les activités et les besoins quotidiens comme manger, boire, changer de couche sont de parfaites opportunités pour l'introduction des signes. »

Dr Joseph Garcia, *Signe avec moi*

Signes liés aux besoins de base et aux émotions fortes

Les premiers sont les signes qui expriment les besoins de votre enfant. Tout ce qui concerne son alimentation, son confort, sa température, son sommeil et sa sécurité se place dans cette catégorie. Les autres concernent des objets, des activités ou des situations dont vous savez qu'ils intéressent ou amusent votre bébé.

Obtenir l'attention de votre bébé

Il est courant qu'un bébé ne regarde pas l'adulte qui lui fait un signe. Il est distrait par ce qu'il regarde, quoi que ce soit. Utilisez une astuce des Dr Michelle Anthony et Reyna Lindert : faites le signe devant ou sur l'objet que vous lui présentez. Vous pouvez même le faire sur le corps de votre bébé.

Les lumières sont si excitantes ! Quel bon exemple de signe lié aux émotions fortes ! Beaucoup de bébés sont fascinés par la lumière ; si c'est le cas du vôtre, apprenez-lui le signe.

Bébé est-il prêt?

Vous avez acquis les bases et voulez savoir si votre bébé est prêt. De nombreux parents choisissent d'utiliser les signes dès la naissance, mais d'autres ne les découvrent qu'après les un an de leur enfant. En vérité, il n'y a pas d'âge magique pour commencer la langue des signes; il peut donc être difficile de savoir quand commencer son utilisation.

Il se tient assis

Beaucoup de bébés ne s'intéressent pas aux signes avant de se tenir assis seuls. Une fois qu'il se tient assis, un enfant non seulement peut mieux voir les signes que vous lui faites, mais il lui est plus facile de les reproduire. Les bébés apprennent à se tenir assis entre 6 et 9 mois. Une fois cette position acquise, ils peuvent consacrer leur attention à l'apprentissage d'autres compétences, comme la communication par signes.

Action et réaction

Vous devez observer votre bébé et savoir si ce que vous faites avec vos mains suscite son intérêt. Est-il excité si vous déboutonnez votre chemisier ou si vous préparez un biberon? Étudiez aussi ses réactions face à son environnement. Suit-il le chien des yeux à travers la pièce? Reconnaît-il les bruits de son quotidien? Par exemple, commence-t-il à gigoter en entendant le bain qui coule, ou se réjouit-il en entendant son papa ouvrir la porte? Ce sont les signes que votre bébé aimerait qu'on l'aide à communiquer. Rappelez-vous: vous devez vous concentrer sur ses besoins et sur les objets ou activités qui l'intéressent ou l'amusent; en somme, sur ce pour quoi il aurait besoin de signes.

Votre chien peut être une bonne source de motivation pour votre enfant. Mais, s'il ne l'attire pas, gardez ce signe pour plus tard.

Il utilise déjà des signes ?

Vous pouvez aussi vérifier que votre enfant n'utilise pas déjà des signes. Il peut en créer ou reproduire des gestes qu'il a observés. Les parents et les proches apprennent des signes aux enfants sans réaliser qu'ils comblent le fossé de la communication. Par exemple, beaucoup d'enfants font au revoir de la main bien avant de pouvoir le dire. Cette action est très similaire à l'usage des signes. Un bébé est si mignon quand il vous fait au revoir, alors imaginez-le vous faire « encore » quand il est à table ou « fini » quand il n'en veut plus.

Les réponses non verbales

Se concentrer sur ces réponses est la clé d'une communication par signes réussie. Chaque jour, prendre le temps de vous mettre au niveau de votre bébé est un bon moyen de comprendre le langage de son corps. En le regardant et en interagissant avec lui quand il joue, vous apprendrez comment son esprit fonctionne.

Motiver votre bébé

Quand son assiette est vide est le moment idéal pour lui faire le signe «encore».

Quand vous commencez à introduire les signes, inspirez-vous des activités quotidiennes de votre bébé. Profitez de chacune d'elles pour lui montrer un signe, mais n'hésitez pas à créer les opportunités.

Points de départ

Le moment des repas est un point de départ logique. Lorsque votre bébé est encore nourri au sein ou au biberon, toute son attention se porte sur l'aliment et sur sa source. C'est pourquoi de nombreux parents commencent par un signe lié à l'aliment ou à la boisson. «Lait» est très populaire chez les parents et les enfants. Lorsque votre bébé grandit, son alimentation se diversifie, ainsi que les signes. J'ai découvert que l'enfant peut communiquer par signes quand vous le nourrissez. Lauren le faisait souvent. Elle me disait ainsi ce qu'elle faisait («lait»), ce qu'elle entendait («chien», «papa», «frère»), ce qu'elle voyait («bébé») ou ce qu'elle voulait faire ensuite.

« Moins vous utilisez de signes pour commencer, plus vous limitez vos occasions de communiquer. Il faut alors plus de temps pour que votre enfant réponde et développe son vocabulaire. »

Dr Michelle Anthony et Dr Reyna Lindert

Le bain vous permet de montrer de nombreux signes : son jouet favori, comme un canard en plastique.

Le bain et le coucher

Le bain est un moment merveilleux pour apprendre. Profitez de la réaction de votre bébé à la température de l'eau, montrez-lui son canard en plastique. Vous pouvez aussi lui apprendre les notions de saleté et de propreté.

Le coucher offre aussi de nombreuses possibilités. Vous pouvez parler du sommeil, de la température, des objets qui le rassurent ou de ses doudous préférés, mais aussi de ce que vous voyez par la fenêtre.

Créez vos opportunités

Laissez votre enfant découvrir seul le monde qui l'entoure et profitez-en pour introduire de nouveaux signes. N'ayez pas peur de communiquer et de lui faire les signes de ce qui semble susciter son intérêt.

Les signes pendant le repas

La nourriture est une formidable source de motivation. Vous utiliserez beaucoup les signes à table, et même au restaurant quand vous aurez l'audace d'y emmener votre bébé. Vous pouvez faire les signes des différents aliments mais aussi de leurs couleurs et encourager l'usage du signe « encore ».

3 Premiers signes

L'échange commence

Êtes-vous prêt à communiquer? Formidable! Ce chapitre vous présente des signes liés à la fois aux besoins de base et aux émotions fortes. Pour commencer, choisissez-en quelques-uns. Pensez à prononcer le mot en faisant le signe. Le signe vient mettre en lumière le mot que vous dites à votre enfant, ce n'est pas une activité silencieuse.

Donner de la voix

En vous faisant un signe, votre enfant non plus ne sera pas silencieux: il aimera éclairer son signe de sa voix, comme j'ai pu m'en rendre compte avec mes enfants. Un jour, j'essayais de reculer l'heure du biberon alors que je faisais les courses avec Lauren, 11 mois. Non seulement elle me faisait le signe «lait» juste sous les yeux, mais elle l'accompagnait de protestations verbales qui attiraient l'attention de tout le magasin. Pas besoin de vous dire qu'elle a rapidement obtenu son lait.

Voici quelques astuces supplémentaires pour vous guider:

SOYEZ JOYEUX L'air renfrogné et les voix pleines d'ennui ne motivent pas les enfants à utiliser les signes. Cela doit être excitant.

SOYEZ PLEIN DE FIERTÉ Ayez l'air content quand bébé utilise correctement un signe et faites-lui comprendre que vous le trouvez incroyable.

SOYEZ VARIÉ Faites-lui des signes dans des endroits différents. Ne le faites pas uniquement à la maison ni quand vous recevez des amis, ni encore quand vous êtes en public. Les signes doivent être votre mode de communication naturel et quotidien, et non une activité que vous pratiquez de temps en temps ou dans un lieu précis.

SOYEZ PATIENT Cela peut prendre des semaines ou des mois pour que votre bébé vous fasse un signe. Et parfois, même s'il en a correctement utilisé un pendant un temps, il peut cesser de le faire. Ne soyez pas découragé. Continuez vos efforts, il s'y remettra.

«En combinant les signes aux mots, vous stimulez l'ouïe, la vue et le toucher de votre enfant. Il entend le mot (ouïe), il observe votre geste et l'expression de votre visage (vue), et il imite vos mouvements pour produire un signe (toucher).»

Laura Dyer, docteur en médecine

Quelle main utiliser?

En langue des signes, la main conductrice doit être votre main dominante. Si vous êtes droitier, vous ferez tous les signes qui ne se font que d'une main de la droite. Pour ceux qui nécessitent les deux mains, la gauche servira de base et la droite fera le travail. Si vous êtes gaucher, procédez à l'inverse. Pour éviter toute confusion, les signes présentés ici le sont de la main droite; faites-les à l'inverse si vous êtes gaucher.

Bébé vous fera savoir qu'il veut son lait par un signe mais aussi oralement.

Lait, manger, encore plus

Voici les trois signes les plus basiques : «lait», «manger» et «encore». Beaucoup de parents m'ont dit avoir commencé avec succès avec ces mots. Utilisez-en un, ou les trois, ou plusieurs choisis parmi les signes de base.

Ils sont simples et les enfants les retiennent facilement, c'est pourquoi les parents les choisissent.

«Les enfants… ont tendance à simplifier les gestes des signes, à en éliminer les mouvements et à les exagérer plus que les adultes ne le souhaitent.»

Dr Michelle Anthony et Dr Reyna Lindert

Lait

Pressez une main ou les deux, imitant un fermier qui trait une vache. La plupart des gens n'utilisent qu'une main, car souvent vous avez celle de votre bébé dans l'autre.

USAGE RECOMMANDÉ Ce signe est assez populaire pour commencer, car boire son lait est en général l'une des activités favorites de votre bébé, et quand il est très jeune il le fait souvent.

Manger

Ce signe deviendra certainement l'un des favoris de votre bébé. Portez simplement vos doigts à votre bouche, comme si vous teniez un aliment que vous alliez manger.

USAGE RECOMMANDÉ Ce signe est parfait à l'heure des repas. Votre bébé adorera pouvoir vous dire qu'il a faim. Il continuera à l'utiliser longtemps après ses premiers pas, et même après avoir appris à le verbaliser.

Encore plus

Rapprochez les bouts des doigts de vos deux mains de façon répétée.

USAGE RECOMMANDÉ Les bébés adorent ce signe, qu'ils peuvent utiliser pour les repas mais aussi pour presque toutes les facettes de leur vie, par exemple : maman, je veux «encore plus» de gâteaux, «encore plus» de balançoire, «encore plus» colorier, «encore plus» toucher le chien, «encore plus» de lait.

Aider, chaud, mal

Ces signes sont utiles pour la sécurité. Ils vous aident à interpréter les besoins de votre bébé et vous évitent bien des devinettes.

« Il est important que vous communiquiez par signes avec votre enfant dans différents contextes, pour qu'il comprenne l'utilité des signes dans le monde qui l'entoure. »

Dr Michelle Anthony et Dr Reyna Lindert

Aider

Votre main gauche vous « aide » à soulever votre main droite.

USAGE RECOMMANDÉ Ce signe est important au fur et à mesure que bébé grandit et explore son environnement. Au fil des âges, il se retrouvera souvent dans l'incapacité d'atteindre un objet, de faire quelque chose ou de se sortir d'une situation qui l'effraie. Ce signe l'aidera à obtenir ce qu'il veut et vous évitera de devoir lui poser quarante questions.

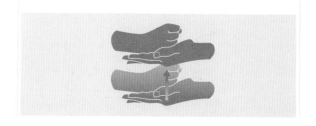

Chaud

Portez votre main à votre bouche, puis éloignez-la comme si quelque chose était trop chaud pour être mangé.

USAGE RECOMMANDÉ   Ce signe évitera à votre enfant de se faire mal. Vous pouvez l'utiliser pour lui apprendre à ne pas s'approcher du feu ou à attendre avant de manger un aliment chaud. C'est un signe que les mères ont tendance à apprendre naturellement car cette notion fait partie du quotidien.

Mal

Joignez vos deux index devant vous. Veillez à ce que votre visage montre que vous avez mal.

USAGE RECOMMANDÉ   «Mal» est un des signes les plus efficaces que votre bébé apprendra. Vous n'aurez plus à deviner et pourrez l'aider plus vite. Je vous recommande de faire ce signe devant la partie du corps correspondante. Par exemple, faites le signe «mal» devant votre oreille ou celle de votre enfant en lui demandant: «Tu as mal à l'oreille?»

Froid, boire, eau

«Ah… un verre d'eau froide.» Vous pourrez dire cette phrase par signes quand votre enfant aura grandi. Pour le moment, utilisez les signes un par un, jusqu'à ce que votre enfant combine lui-même les signes (voir page 70).

Mieux vaut commencer par des signes que l'on peut utiliser dans différentes situations; ceux présentés ici sont de bons exemples. Si vous utilisez les signes qui ont plusieurs sens, les occasions de les répéter seront plus nombreuses, et il est plus facile de se familiariser avec un concept qui se reproduit souvent.

Froid

Tenez vos poings fermés devant vous, les bras tremblant comme si vous grelottiez.

USAGE RECOMMANDÉ Vous et votre enfant aurez besoin du signe «froid» dans bien des situations. Vous pouvez l'utiliser pour certains aliments, et il viendra renforcer, par comparaison, le sens de «chaud». En faisant couler son bain, faites toucher l'eau tempérée à votre enfant en lui disant «froid». Et, bien sûr, s'il neige dehors, «froid» est un signe amusant à utiliser pour découvrir l'hiver.

Boire

Portez votre main à votre bouche comme si vous teniez un verre imaginaire.

USAGE RECOMMANDÉ Ce signe vous aidera à apprendre à votre enfant à boire dans un verre. Qu'il s'agisse d'une tasse à bec ou d'un verre normal, montrez-lui l'objet en lui faisant le signe. Faites-lui le signe quand vous buvez et laissez-le essayer à son tour. Montrez-lui les autres membres de la famille qui utilisent un verre.

Eau

Tapez le côté de votre bouche avec vos doigts formant un *w* (voir page 105).

USAGE RECOMMANDÉ Ce signe est simple à mémoriser. Vous pouvez l'utiliser pour la boisson (en le combinant plus tard avec le signe «boire»). Quand votre enfant commence à se servir d'un verre, l'eau est, pour plusieurs raisons, la boisson idéale. Vous pouvez aussi vous en servir au moment du bain, en lui apprenant d'autres signes importants comme «chaud», «froid» ou «bain».

Chien, chat, oiseau

Les animaux domestiques sont un bon point de départ pour l'apprentissage des signes; vous avez dû remarquer que votre bébé est tout excité quand il les voit. Les signes qui les représentent sont liés aux émotions fortes, et votre enfant adorera pouvoir communiquer à leur propos. Il vous montrera souvent un animal du doigt, puis, quand il grandira et que sa mémoire retiendra plus d'informations, il voudra vous dire par signes ce qu'il a retenu de sa journée, et les animaux seront souvent présents dans ses souvenirs.

Bien faire le signe

Souvent, le signe que les enfants font intuitivement pour le chien est de se tapoter la poitrine. Montrez à votre bébé que le signe juste est de se tapoter la cuisse et il le retiendra.

Chien

Tapotez-vous la cuisse comme si vous disiez à votre chien «au pied». Vous pouvez y ajouter un clappement.

USAGE RECOMMANDÉ Ce signe est le geste que vous faites naturellement pour appeler un chien à vos côtés. Utilisez-le à la maison si vous avez un chien en disant «Ici, Médor»; puis dites à votre bébé: «Regarde, c'est le chien.» Lorsque vous lui montrez un chien dans la rue ou au parc, faites le signe qui lui correspond. Veillez d'abord à ce que votre enfant ait vu le chien.

Chat

Sur une joue ou sur les deux, brossez-vous des moustaches imaginaires.

USAGE RECOMMANDÉ Comme pour «chien», ce signe vous servira quand votre bébé aura vu passer le chat. Vous pouvez aussi lui montrer les chats du voisinage (un des passe-temps favoris de Lauren est de regarder passer les animaux depuis le perron, car elle y est allergique) ou ceux d'un album.

Oiseau

Utilisez votre pouce et votre majeur pour former un bec qui s'ouvre et se ferme.

USAGE RECOMMANDÉ Même si vous n'avez pas d'oiseau domestique, votre enfant les verra passer par la fenêtre, dans la rue ou au parc. Montrez-les-lui quand ils se posent, se baignent dans les fontaines ou sont perchés dans les arbres, et observez s'il remarque les oiseaux en plein vol.

Poisson, bain, fini

Ces signes vous aideront à parler des animaux et de l'heure du bain, et à savoir de manière sûre si votre bébé a terminé, évitant ainsi les pleurs. Quand ma fille Lauren eut 22 mois, elle utilisa ce dernier signe de manière originale. Elle n'aimait pas que je chante, et dès que je commençais elle me disait par signe «fini».

Poisson

Le mouvement de votre main ressemble à celui que fait la queue d'un poisson quand il nage.

USAGE RECOMMANDÉ Tout le monde n'a pas d'aquarium, mais vous verrez bien des poissons dans une animalerie ou au bord de votre plan d'eau favori. Faites à votre bébé le signe en lui montrant les poissons d'un aquarium, qui captiveront plus son regard.

«Accompagner la parole de signes vous permet de créer un échange avec votre enfant bien plus tôt que si vous ne comptiez que sur la parole.»

Laura Dyer, docteur en médecine,
Look who's talking!

Bain

Frottez-vous la poitrine de vos deux poings, les pouces en l'air, comme si vous vous savonniez.

USAGE RECOMMANDÉ Faites ce signe quand vous commencez à remplir la baignoire. Vous pouvez aussi l'utiliser pour des oiseaux qui se baignent ou pour les chiens qui se roulent dans les flaques.

Fini

Placez vos mains devant vous, paumes vers l'avant, et reculez-les.

USAGE RECOMMANDÉ C'est un des signes les plus utiles que vous puissiez apprendre à votre enfant. Je vous suggère de l'introduire au moment des repas. Vous pouvez le lui montrer en enlevant son assiette et en lui disant : «Tu as fini de manger.» Une fois qu'il aura compris le concept, utilisez le signe dans d'autres situations : quand il joue, à l'heure du bain ou à chaque fois que l'idée d'avoir «fini» est une conclusion naturelle.

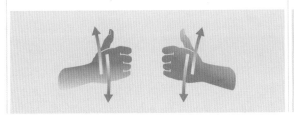

Maman, papa, fleur

Je suis sûre que votre bébé appréciera de connaître les signes pour les deux personnes les plus importantes de son petit monde; maman et papa. Vous pouvez utiliser ces signes quand maman et papa sont dans la pièce ou quand ils y entrent. Quand votre bébé sera plus grand, il pourra vous dire l'aide de qui il préfère; peut-être que maman donne de meilleurs bains et que papa raconte mieux les histoires.

Maman

Appuyez le pouce de votre main ouverte contre le côté de votre menton.

USAGE RECOMMANDÉ Maman, m'man, mama… quel que soit le mot, votre bébé sera heureux de connaître le signe pour sa mère. Celle-ci peut d'ailleurs le faire pour parler de ce qu'elle fait: «Maman va te changer» ou encore «Tu veux venir avec maman?». Les autres membres de la famille peuvent aussi l'utiliser quand maman entre dans la pièce.

Noms masculins et noms féminins

En règle générale, les signes des noms masculins se font au niveau du front et les signes des noms féminins, au niveau du menton.

Papa

Appuyez le pouce de votre main ouverte
contre votre front.

USAGE RECOMMANDÉ L'utilisation de ce
signe est la même que pour «maman».
Papa peut s'en servir pour parler de lui ou de
ce qu'il fait avec bébé, et maman peut
l'utiliser quand il arrive dans la pièce.

Fleur

Faites semblant de tenir une fleur dans votre
main et passez-la sous votre nez comme si
vous la sentiez.

USAGE RECOMMANDÉ Si vous avez un
jardin fleuri, emmenez-y votre bambin aux
beaux jours. Montrez-lui les fleurs. Laissez-le
toucher les pétales et parlez-lui des couleurs.
Montrez-lui les boutons qui fleurissent au
printemps et amusez-vous à jardiner avec lui.

Ventilateur et lumière

Ventilateur

Faites tourner votre index pointé au-dessus de votre tête comme les pales d'un ventilateur de plafond.

USAGE RECOMMANDÉ Les bébés remarquent souvent ce qui est au plafond et sont fascinés par les ventilateurs. Profitez-en pour introduire ce signe. Vous devrez peut-être vous tenir au-dessus de lui pour qu'il vous remarque. Quand il aura acquis ce signe, votre enfant sera content de vous le faire et même de pouvoir vous demander d'allumer le ventilateur.

Lumière

La main ouverte, pouce contre le menton, tapotez plusieurs fois votre index contre le menton.

USAGE RECOMMANDÉ La lumière est, elle aussi, une source de fascination pour bébé. Il la remarquera partout : celle du plafond, celle de sa veilleuse, celle du supermarché, et même celle des feux de circulation. Profitez bien de chacune de ces opportunités pour lui apprendre le signe.

Et maintenant?

Jusque-là, vous avez appris vingt signes. Fantastique! Vous êtes libre de choisir les signes que vous voudrez apprendre à votre bébé en fonction de ce qui l'intéresse et de ses besoins. Vous connaissez la différence entre signes liés aux besoins et signes liés aux émotions, et vous savez qu'il est important de lui apprendre des signes appartenant à ces deux catégories.

Vous en savez aussi plus sur l'utilisation des signes avec bébé. Vous avez pu constater que cela n'est pas difficile. Vous comprenez pourquoi je conseille d'utiliser l'ASL, facile à assimiler pour les bébés. Enfin, vous savez comment motiver votre bébé et comment reconnaître quand il est prêt pour un signe.

À présent, nous allons nous pencher sur des sujets plus avancés. Même si vos premiers pas avec les signes vous ont paru simples, les résultats ne sont peut-être pas ceux que vous attendiez et certaines choses peuvent vous étonner. Vous voulez sûrement savoir comment établir un échange par signes qui fonctionne même si vous n'êtes pas toujours avec votre bébé: comment se fera-t-il comprendre? La nounou doit-elle utiliser les signes pour qu'il ne les oublie pas? Vous trouverez tout ce qui concerne la résolution de ces problèmes et les nounous aux pages suivantes, ainsi qu'une multitude de nouveaux signes à apprendre.

Les signes et les livres

Les livres vous permettent d'introduire des signes pour les choses que vous n'avez pas l'occasion de rencontrer dans votre environnement. Par exemple, s'il y a peu de parcs dans votre voisinage et que votre logement ne vous permet pas de planter de fleurs, vous pouvez apprendre à votre bébé les signes grâce aux illustrations d'un livre.

4 La chasse aux problèmes

Dépasser les obstacles

Le chemin d'un échange par signes réussi est parfois semé d'obstacles. Voici quelques exemples des plus communs et quelques solutions pour les contourner.

Le scepticisme

Il est parfois difficile d'accepter qu'un proche doute de la réussite de vos échanges par signes (ou, pire, pense que cela met le développement de votre enfant en danger). Il se peut que l'on vous dise : «Tu vas lui causer un retard de la parole», «À quoi ça sert ?», «Et tu lui apprends aussi à parler ?», «Tu es ridicule».

Vous pouvez soit expliquer à ces gens tous les bénéfices de la langue des signes, soit attendre qu'ils voient votre enfant vous répondre par signes. Mes enfants ont convaincu de nombreux sceptiques en leur montrant les signes qu'ils connaissaient. Quant à ceux qui ont des doutes sur le développement de la parole de votre enfant, je vous remercie de bien vouloir leur faire part des résultats de la recherche. Je m'explique :

parlez-leur des résultats supérieurs aux tests de langage et de QI que les enfants utilisant les signes obtiennent. Mais vous pouvez aussi faire participer le sceptique à vos échanges par signes. Faire l'expérience de l'utilisation des signes lui permettra d'avoir des échanges actifs avec votre enfant et en fera peut-être un adepte.

Savoir dire non

Parfois, vous regretterez d'avoir appris un signe à votre enfant, surtout s'il s'agit de quelque chose qu'il réclame à longueur de journée mais que vous ne souhaitez pas qu'il ait tout le temps. Vous hésitez peut-être à lui dire non. Beaucoup de parents croient que s'ils refusent, leur enfant arrêtera d'utiliser les signes, mais, comme l'explique le Dr Linda Acredolo, c'est une erreur : souvenez-vous du dicton «N'accusez pas le messager». Si votre bébé ne cesse de vous faire le signe «gâteau», son message est qu'il en veut un, le signe n'étant que le messager. Heureusement, les bébés, eux, font la différence.

«J'ai commencé à communiquer par signes avec Laura dès sa naissance et elle me fit ses premières réponses à 7 mois. Le processus fut long mais en valait la peine. À un certain stade, elle utilisait le signe «lait» pour tout, mais en grandissant elle arrêta. Aujourd'hui, Laura connaît environ vingt-cinq signes. Cela m'a énormément aidée à comprendre ce qu'elle voulait, en évitant les cris!»

Paige, mère de Laura, 18 mois

Lorsqu'un enfant utilise un signe pour exprimer un désir particulier, il sait intuitivement que la réponse de ses parents dépend du contenu de son message, et non du symbole qu'il utilise. Si vous lui refusez un gâteau, il ne croira pas que c'est la faute du signe, tout comme un enfant qui parle ne croira pas que le refus est dû au mot «gâteau».

Les cris (les signes faits avec emphase)

En apprenant les signes, votre enfant varie ses gestes en fonction de son humeur ou de sa volonté d'obtenir ce qu'il exprime. Il peut utiliser ses deux mains pour des signes qui n'en demandent qu'une, comme «lait», ou accompagner ses signes de sons. C'est sa façon de dire: «Hé! regarde-moi, je veux quelque chose!»

C'est normal?

Parfois le processus d'utilisation des signes ne se déroule pas comme prévu. Vous apprendrez que ce qui vous semble mal n'est parfois qu'une limite naturelle de l'apprentissage des signes.

La réponse

Souvent, les parents sont préoccupés par le fait qu'il faudra des semaines ou des mois pour que bébé utilise les signes. Je leur réponds toujours que, bien avant de communiquer par signes, les bébés réagissent à ceux que leurs parents leur font, mais qu'ils ne peuvent pas encore les reproduire. Les bébés se développent tous à un rythme différent mais vous avez du mal à ne pas comparer le vôtre à un autre enfant. Sachez que souvent les premiers signes de bébé ne viendront pas avant un an, même si vous avez commencé à introduire leur utilisation dès 4 mois. La plupart des bébés commencent l'échange à 7 ou 8 mois, mais cela peut varier, de même que pour leur développement physique et mental.

Il peut aussi arriver qu'un bébé qui utilise les signes arrête soudain complètement. La raison en est souvent qu'il concentre alors toute son attention sur un autre point de son développement. Une fois son objectif atteint,

« Ne demandez pas à votre enfant de faire des signes en dehors de leur contexte ni de faire une démonstration aux gens, et ne le comparez pas aux autres enfants. S'il refuse de s'exprimer par signes dans une situation particulière, ne montrez pas votre déception. Ne lui apprenez pas que le signe, et juste le signe. Laissez votre enfant faire ses découvertes. »

Dr Joseph Garcia, *Signe avec moi*

bébé reprendra là où il s'était arrêté, surtout si vous avez continué à lui parler par signes de façon précise et constante.

Le contexte est la clé

Souvent, un enfant fera plusieurs signes de la même manière, surtout s'ils se ressemblent. Ceux utilisant les deux mains regroupées devant le corps comme pour « encore », « mal » et « changer » en sont de bons exemples. Cela peut prêter à confusion, mais rappelez-vous que dans l'utilisation des signes en bas âge, le contexte est important. Avec le temps, votre enfant apprendra à faire des signes plus précis et vous le comprendrez mieux.

Vous devez par-dessus tout faire preuve de constance et les signes de votre bébé deviendront plus précis à mesure qu'il grandira.

C'est un signe ou pas ?

Vous avez choisi d'utiliser les signes avec votre bébé et êtes tout excité. Vous avez déjà commencé à les introduire. Peut-être avez-vous opté pour «lait», pour «manger» parce que bébé prend déjà des repas solides, et pour «chien» parce qu'il adore ce bon vieux Médor.

Quelques semaines ont passé. Vous ne vous découragez pas car vous savez que cela peut prendre du temps pour que bébé fasse le lien avec les objets ou concepts que vos signes représentent. Et très vite vous réalisez que les gestes de bébé commencent à coïncider avec l'heure du biberon.

Un signe pour tout

Attendez un peu. Bébé fait aussi ce geste quand le chien entre dans la pièce ou si vous lui donnez un petit pot à la banane. Vous vous demandez alors (et votre mari et votre mère vous le demandent aussi) : «Il me fait un signe ou pas ?»

La réponse est : sûrement. En général, quand les enfants se lancent dans l'utilisation des signes, ils ont tendance à n'en utiliser qu'un pour plusieurs choses, mais aussi pour tout ce qu'ils voient.

Si c'est le cas, réjouissez-vous, votre enfant a compris que les signes ont un sens. Il ne sera pas très précis d'entrée de jeu, mais cela viendra avec le temps. Utilisez le contexte pour mieux comprendre le signe qu'il vous fait, et montrez-lui toujours le signe correct. Bébé gagnera vite en précision.

L'histoire de papa

J'ai appris le signe «papa» à ma fille, mais elle en utilisa d'abord d'autres. Quand elle commença à s'en servir, je me demandai si elle ne le faisait pas simplement parce qu'elle trouvait ça drôle, car elle l'employait même si son père n'était pas là. Son utilisation du signe me semblait parfaitement hors contexte et je doutais qu'elle ait compris ce qu'il représentait (elle utilisait pourtant «lait» et «Cheerios» à bon escient).

«Les premiers signes des enfants seront sûrement
plus amples et moins contrôlés que les vôtres (ils
tapent, clappent et agitent les mains au lieu de faire
de petits mouvements).»

Dr Michelle Anthony et Dr Reyna Lindert

Son père fut absent pendant trois semaines à
cause d'une formation. Elle n'utilisa pas le signe
«papa» durant tout ce temps, et moi non plus.
Et, quand il revint, elle lui fit un sourire en
lui faisant le signe «papa» et en
prononçant «papa»: son premier
mot, et un signe précis dont elle
connaissait bel et bien le sens.

Simple geste ou signe?

Quand Corbin commença à
utiliser le signe «lait», je ne le
reconnus pas. Je me sentis
vraiment stupide quand je
réalisai une semaine plus tard
que son geste rythmé était en
fait son premier signe. Ne pas
voir ce premier signe arrive
souvent, aussi observez bien le
contexte dans lequel votre
enfant se trouve.

La nounou et les signes

Imaginez la scène suivante : vous sortez du travail ou revenez de faire les courses et passez prendre bébé chez sa nourrice. Au lieu de le retrouver heureux, vous découvrez un enfant furieux et une nounou frustrée. Elle vous demande : « Ça veut dire quoi ? » en agitant les mains. Vous réalisez alors que bébé demandait à être changé mais que la nounou ne l'a pas compris.

Impliquer la nounou

Parmi les parents qui utilisent les signes, certains restent à la maison avec bébé, mais d'autres travaillent. Quand c'est le cas, votre bébé passe une bonne partie de la journée chez la nourrice, qui ne sait parfois pas que vous communiquez par signes. Les mères au foyer sont confrontées au même problème quand elles laissent bébé sous la garde de la grand-mère ou de leur tante préférée pour une soirée romantique ou pour faire des courses. Les parents qui essaient d'introduire l'utilisation des signes s'inquiètent souvent de l'effet que la garde extérieure aura sur les progrès de leurs enfants. Qu'ils ne se fassent pas de souci : même si la nounou n'utilise pas les signes, bébé le fera, surtout si vous continuez de le faire à la maison. Une nounou qui utilise les signes, c'est la cerise sur le gâteau.

Néanmoins, soyez franc avec votre nounou, expliquez-lui les bénéfices de l'utilisation des signes avec bébé et apprenez-en-lui quelques-uns. Vous pourriez être surpris par leur réaction : de nombreuses garderies et nourrices utilisent les signes volontiers ou en sont déjà des adeptes.

«Je souhaite simplement que plus de professionnels de l'enfance aient connaissance de l'utilisation des signes par les très jeunes enfants. Je suis le directeur adjoint d'une grande garderie. Nous utilisons les signes avec les bébés et avons découvert qu'ils se les apprennent entre eux.»

Frankie, directeur adjoint, garderie de Bangor, Maine

Si vous montrez à votre gardienne les signes que votre enfant utilise, vous éviterez les malentendus et aiderez votre enfant à mieux se faire comprendre.

Rester constant à la maison et à l'extérieur

Dès le début, votre nounou doit savoir que vous utilisez les signes. Veillez à lui montrer ceux que votre bébé utilise.

Apportez un dictionnaire des signes chez votre nounou pour qu'elle puisse s'en servir quotidiennement.

Montrez à votre nounou les signes que vous êtes en train d'introduire et comment les utiliser pour que votre bébé puisse aussi apprendre avec elle.

Communiquez avec votre nounou, soyez ouvert à toutes ses questions.

Encourager votre nounou

Vous serez peut-être surpris d'apprendre que la garderie de votre bébé utilise déjà les signes. Si ce n'est pas le cas, il se peut que vous vouliez encourager le personnel ou la direction à les utiliser avec votre enfant et tous les autres.

Souligner les avantages

Si votre nounou ignore tout de l'utilisation des signes avec bébé, elle peut se montrer sceptique ou inquiète. Expliquez-lui leur processus d'utilisation, en mettant sa simplicité et ses bénéfices en avant. Elle appréciera d'avoir un espace d'apprentissage et de jeu plus paisible et d'être face à des enfants moins frustrés. Le quotidien de votre enfant sera plus prévisible et joyeux. Si votre bébé s'exprime déjà par signes, cela ne sera qu'une motivation de plus pour la nounou.

L'aspect visuel de l'échange par signes est aussi attrayant pour l'enfant, surtout en groupe. Cela permet de mieux capter son attention et donne plus de profondeur aux activités de groupe comme la lecture d'histoires ou le travail manuel.

Pour votre nounou

Pour commencer à utiliser les signes avec votre nounou, vous devez suivre les règles de base, établies aux chapitres précédents, (commencez par « Les bases », pages 18-19). Voici quelques points essentiels :

• Apprenez bien les signes avant de les montrer aux enfants. Vous ne pouvez pas faire un signe un jour et le répéter d'une autre façon le lendemain (ou, pire, en faire plusieurs versions avec les différents enfants).

• Tenez-vous toujours au courant du signe sur lequel vous devez travailler.

• Un thème pour chaque semaine. Continuez d'utiliser les signes de base, mais ajoutez cinq ou six signes différents par semaine pour que cela reste drôle et intéressant. Par exemple, choisissez les animaux de la ferme, puis la nourriture, ou encore le zoo...

• Informez les autres parents. Conseillez-leur des livres ou prêtez-en leur pour qu'ils puissent utiliser les signes avec leur enfant.

« La garderie de mon fils commence l'introduction des signes à partir de 6 mois et avec les enfants qui font leurs premiers pas. Le personnel l'apprécie, surtout avec les enfants qui ne parlent pas encore clairement. Cela nous aide aussi à la maison, et la plupart des signes que nous utilisons, nous les avons appris en même temps que lui. »

Erika, mère de Tavin, 2 ans et demi

L'ASL

Si votre nounou se met aux signes, je recommande l'utilisation d'une langue officielle comme l'ASL. De cette manière, tous les enfants disposeront d'un environnement d'apprentissage constant et, si vous partagez la garde, les autres parents pourront aussi s'y mettre.

Les grands-parents
et les signes

Faire participer les membres de votre famille à vos échanges par signes peut être amusant, excitant et est une expérience gratifiante pour les personnes impliquées. Non seulement cela fera de vos réunions de famille un environnement idéal pour la pratique des signes, mais vous ne craindrez plus que votre enfant ne soit pas compris si vous le confiez à vos parents.

En famille

Faire participer votre famille ne demande pas de gros efforts. Vous pouvez le faire lors de dîners, d'anniversaires ou en vacances. Si vous êtes proche de votre famille, elle vous verra utiliser les signes et sera sûrement intéressée. Pourtant, vous pourrez parfois être confronté au scepticisme et à l'inquiétude de certains. Ils seront vite convaincus en constatant les avantages des signes (voir la réaction de la grand-mère de Simon ci-contre), mais vous devrez parfois leur faire part des résultats de la recherche pour les faire changer d'avis.

De toute façon, le partage de cette expérience est bon pour votre enfant et votre famille. Montrez les signes que vous utilisez à vos parents et permettez-leur de les faire à bébé et de lui en apprendre de nouveaux. Impliquez-les chaque fois que vous le pouvez, faites-leur part de vos progrès et, si vous venez de commencer, expliquez-leur comment ça marche et comment vous aider.

Quiproquo

Cette période d'apprentissage peut donner lieu à des malentendus. Un soir, mes parents gardaient Corbin, alors âgé de 15 mois. Il n'était pas sage et se tenait debout sur sa chaise. Mon père lui dit : «Corbin, descend !» Au lieu de descendre, Corbin fit le signe «en bas». Le lendemain, ma mère, qui ne connaissait pas ce signe, me dit que Corbin avait fait un doigt d'honneur à son grand-père !

« La grand-mère de Simon était sceptique quant à mes échanges par signes avec lui, jusqu'à ce qu'elle réalise qu'il pouvait lui dire s'il avait faim ou soif. Soudain, elle voulait connaître tous les signes qu'il utilisait et parlait des exploits de son petit-fils à tout le monde. »

Robin, mère de Simon, 12 mois

Bébé pourra communiquer avec plus d'une personne si grand-mère utilise les signes.

Soutien familial

Même s'ils n'en apprennent pas à vos enfants, les membres de votre famille peuvent connaître le sens des signes. Ma fille Lauren communiquait beaucoup, si bien que ma mère et ma belle-mère devaient apprendre de nouveaux signes à chacune de leurs visites. Ma mère se procura même un dictionnaire et fit découvrir quelques signes à Lauren. Notre famille nous a beaucoup soutenu avec elle et son frère Corbin, tous deux grands adeptes de ce mode de communication. Leurs oncles et tantes, grands-pères et grands-mères, et bien d'autres parents se tenaient au courant des progrès des enfants et apprenaient le sens de chaque nouveau signe.

Pour un tout petit, il est merveilleux de voir que plusieurs adultes l'épaulent et le comprennent, et que d'autres que papa et maman communiquent avec lui. Il prend ainsi confiance en lui et enrichie son vocabulaire.

Acquisition de nouveaux signes

Signes secondaires

Dans ce chapitre, nous allons élargir notre vocabulaire et découvrir des objets, des désirs, des besoins et des conditions dont vous pourriez avoir besoin pour le quotidien de bébé. Il peut s'agir de ses objets favoris, des premiers aliments solides, d'animaux excitants, d'activités ou d'instructions à suivre, tous utiles aux parents et aux enfants qui débutent avec les signes. Vous trouverez aussi des mots ou des concepts qui vous permettront de préciser certains signes de base.

« Les blocs que constitue l'apprentissage de la lecture et de l'écriture sont assemblés bien avant que l'enfant entre à l'école. Dès sa naissance, un bébé ne cesse d'apprendre. C'est un fait : les enfants apprennent plus au cours des cinqs premiers mois de leur vie qu'à tout autre moment. Comme ces années sont primordiales pour le développement intellectuel de votre enfant, vous, parents et professionnels de l'enfance, jouez un rôle majeur pour que votre enfant devienne un lecteur confiant, ait une bonne écriture et l'envie d'apprendre toute sa vie durant. »

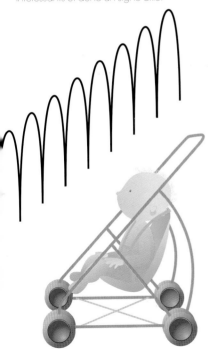

Une visite au zoo motive, excite et inspire votre enfant ; les singes sont souvent pour lui des animaux intéressants et donc un signe utile.

Développement de la conscience

Votre bébé grandit et le monde qui l'entoure aussi, ainsi que ses capacités à interagir avec lui. Il voudra connaître les signes non seulement pour les choses qu'il peut toucher, mais aussi pour celles qu'il voit et qu'il voudrait voir de plus près, ou dont il voudrait se servir.

Faites votre choix

Même si les signes présentés ici sont appelés secondaires, vous pouvez choisir d'en utiliser certains dès le début. La division en chapitres de cet ouvrage n'est qu'une suggestion, et non la marche à suivre, pour que votre famille utilise les signes avec succès.

Livre, auto, bateau

Voici quelques signes qui peuvent représenter les jouets favoris de bébé. Bien sûr, votre enfant peut s'intéresser à d'autres choses, mais ces signes étaient très populaires avec les miens, surtout «livre».

Livre

Joignez vos paumes, puis ouvrez-les comme un livre que l'on ouvre.

USAGE RECOMMANDÉ Il ne peut être utilisé que pour les livres, mais quel signe! Les livres sont si importants. L'habitude de lire peut se prendre très jeune et elle aide au bon développement cérébral de votre enfant.

Former les lettres

Pour certains signes, vous devez former des lettres avec vos mains, comme le *r*. Référez-vous à l'alphabet des pages 100 à 105 pour apprendre à les faire.

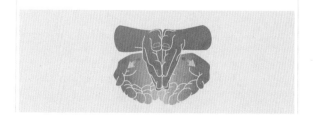

Auto

Faites semblant de tenir un volant dans vos deux mains et de conduire une voiture.

USAGE RECOMMANDÉ Vous pouvez l'utiliser en regardant les illustrations d'un livre, quand vous jouez aux petites voitures, quand vous montez en voiture ou quand vous les voyez passer dans la rue. Cela peut aussi servir à la sécurité des plus grands, comme pour lui dire : «Attention à la voiture, je vais te porter. »

Bateau

Joignez vos mains comme si vous deviez y recevoir plusieurs objets, puis avancez-les comme un bateau naviguant sur les flots.

USAGE RECOMMANDÉ À moins que vous ne viviez là où l'on voit des bateaux tous les jours, ce signe se limitera aux jouets, aux livres et à la télévision. Les bébés adorent en général les bateaux, et ce signe sera important pour eux.

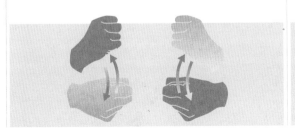

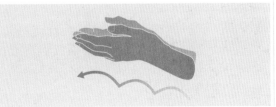

Couche, sale, changer

Les couches, votre bébé connaît bien, et ce depuis la naissance. Il vous tarde peut-être que le temps des couches soit derrière vous. Pour apprendre la propreté à leur enfant, certains parents commencent par ces trois signes. Une fois que votre enfant a compris qu'une couche sale doit être changée, le temps est venu de passer au pot. Bien sûr, cela prendra du temps, mais lui apprendre les signes qui permettent d'en parler est un bon début.

Couche

Pointez le pouce, l'index et le majeur de vos deux mains et placez-les au niveau de votre taille, là ou vous colleriez les attaches d'une vraie couche.

USAGE RECOMMANDÉ Faites-lui ce signe en ouvrant le paquet de couches ou en tenant une couche toute propre. Montrez-la-lui avant de la lui mettre.

Sale

Placez votre main sous votre menton et remuez les doigts.

USAGE RECOMMANDÉ Les opportunités de montrer ce signe ne manqueront pas, surtout si vos enfants explorent le monde comme les miens. Faites-le en lui essuyant la bouche et en disant: «Tu es tout sale, je vais t'essuyer.» Vous pouvez aussi l'utiliser quand il s'approche trop d'une poubelle. Enfin, il vous servira quand sa couche sera sale.

Changer

L'index tendu, placez un poignet au-dessus de l'autre et inversez la position.

USAGE RECOMMANDÉ Ce signe est utile au moment de changer l'enfant. Si vous pensez que votre bébé a fait dans sa couche, vous pouvez lui demander: «Il faut te changer?» Vous pouvez aussi lui montrer le signe en le plaçant sur la table à langer. Plus tard, vous pourrez combiner ce signe avec «couche» et «sale» pour faire une phrase complète.

Biscuit, cracker, pain

Il est bon d'introduire les signes correspondant aux aliments préférés de votre bébé. Non seulement ils subviennent à nos besoins, mais ils sont aussi une source de motivation. Manger est excitant pour les enfants et, quand ils passent à une nourriture solide et commencent à manger des aliments qu'ils peuvent tenir dans la main, l'expérience devient encore plus stimulante pour eux. Les repas et les goûters seront l'occasion d'introduire et de répéter de nouveaux signes.

Biscuit

Faites tourner votre main dominante au-dessus de l'autre (à plat) comme si vous coupiez de la pâte à l'emporte-pièce.

USAGE RECOMMANDÉ Si votre enfant est gourmand, il aimera ce signe. Vous pouvez l'utiliser pour tous les petits gâteaux, même pour les biscuits pour bébés s'il ne mange pas encore de vraies sucreries.

Cracker

Tapotez plusieurs fois le coude de votre bras replié avec votre poing.

USAGE RECOMMANDÉ Ce geste est amusant à reproduire pour les bébés. Les crackers sont assez populaires pour faire patienter bébé pendant que l'on prépare son repas.

Pain

Utilisez une main pour trancher le pain représenté par l'autre main, que vous placez près de votre corps.

USAGE RECOMMANDÉ Le pain est très apprécié, surtout des plus grands. Parfois, le grille-pain le rend plus facile à manger pour les bébés (en petits morceaux, bien sûr, et uniquement si bébé prend de vrais repas).

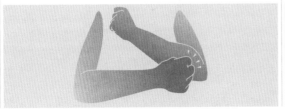

Ours, vache, éléphant

En plus des signes des animaux domestiques, apprenez à votre enfant ceux qui représentent les animaux de la ferme ou du zoo. Il existe de nombreux livres pour les animaux, dont certains en langue des signes. Ma fille adorait apprendre leurs signes et n'en avait jamais assez.

Matériel de référence

Vous n'avez pas besoin de vous ruiner en livres et en vidéos pour donner envie à votre enfant de faire les signes correspondant aux animaux. Vous pouvez en emprunter à la bibliothèque. Les zoos font parfois des tarifs réduits et certains sont gratuits. En outre, regardez de plus près les vêtements de votre bébé ; sur ceux de mes enfants, il y avait bien souvent un ou plusieurs animaux.

Ours

Croisez les bras devant vous et grattez-vous les avant-bras.

USAGE RECOMMANDÉ Ce signe me rappelle un ours se grattant contre un arbre. Cet animal est populaire auprès des enfants. Beaucoup ont des nounours qui les réconfortent dès le plus jeune âge. Amusez-vous en accompagnant les signes de chansons sur les animaux.

Vache

Tenez vos mains formant un *y* (voir page 105) au niveau de vos tempes et faites-les pivoter.

USAGE RECOMMANDÉ Souvent, les enfants adorent les vaches. Profitez de chaque occasion pour leur montrer ce signe. Ils ne pourront sûrement pas le reproduire parfaitement au début mais, vous le savez, cela viendra. Les approximations de signes (voir page 64) sont souvent aussi touchantes que les premiers mots, vous verrez.

Éléphant

En partant de votre nez, dessinez la forme d'une trompe d'éléphant.

USAGE RECOMMANDÉ Ce signe est aussi amusant que la trompe de l'éléphant. Que ce soit au zoo ou à la maison sur un livre, ce signe sera l'un de vos favoris. Accompagnez-le de barrissements et de mouvements de pas, et voilà un jeu parfait pour attendre votre tour chez le pédiatre.

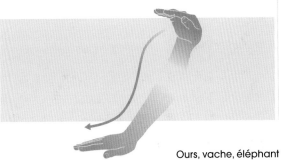

Girafe, cheval, singe

Exotiques et excitants, ces trois signes viendront compléter le vocabulaire animalier de bébé. Apprenez-les un par un ou tous en même temps, ils plairont beaucoup.

Une bonne façon d'introduire de nouveaux signes d'animaux est d'imiter leurs attitudes et leurs cris. Demandez à votre enfant de faire le lapin ou le chien qui aboie (tout en lui montrant le signe).

«Non seulement ils (les signes des animaux) attireront l'attention de votre enfant et lui permettront de s'exprimer par mots/sons et par gestes dès son plus jeune âge, mais ils lui ouvriront aussi les portes de nouvelles interactions et de nouveaux apprentissages au travers du jeu.»

Dr Michelle Anthony et Dr Reyna Lindert

Girafe

Placez votre main au niveau de votre gorge et levez-la pour dessiner le cou d'une girafe.

USAGE RECOMMANDÉ Ce signe me rappelle vraiment le cou de la girafe. Il se peut que votre enfant fasse un peu n'importe quoi: la main de ma fille s'envolait vers le haut et redescendait dans un claquement. Mais elle finit un jour par le reproduire correctement.

Cheval

La main droite en forme de *h* (voir page 102), posez votre pouce contre votre tempe et pliez plusieurs fois votre index et votre majeur.

USAGE RECOMMANDÉ Ce signe vous rappellera les battements d'oreilles d'un cheval. Vous pouvez l'utiliser quand vous voyez un vrai cheval, expérience fort excitante pour bébé, ou si votre enfant remarque un cheval à bascule ou un jouet en forme de cheval.

Singe

Pliez les coudes sur le côté, levez les bras et grattez-vous les aisselles avec les doigts.

USAGE RECOMMANDÉ C'était le signe préféré de Corbin et de Lauren. En l'introduisant, je l'accompagnai de sons (en sautillant), ce qui rendit immédiatement le signe populaire et les enfants hystériques. Les singes sont mignons et drôles et attireront votre enfant. Il reproduira facilement ce signe.

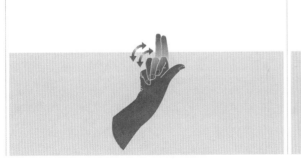

Encore, en haut, en bas

Donnez les pleins pouvoirs à votre bébé en lui apprenant ces trois signes. Ils peuvent servir à donner des directives et lui permettront de parler du monde qui l'entoure, mais aussi de faire en sorte que les choses se fassent. Ils vous seront utiles dans bien des situations.

Encore

Les doigts de votre main dominante viennent frapper la paume de votre autre main.

USAGE RECOMMMANDÉ On confond souvent ce signe avec celui de «plus», que je vous conseille de lui apprendre en premier. Vous pouvez l'utiliser pour de nombreuses activités : lire un livre, chanter, danser, en lui demandant toujours : «Tu veux encore ?» Si vous le dites clairement, bébé fera vite le lien entre le mot, le signe et le sens.

Approximations

Elles existent quand votre enfant ne peut pas encore reproduire les signes avec précision. Chacun le fera du mieux qu'il peut et gagnera en précision. Comme pour l'acquisition de la parole.

En haut

Pointez votre index vers le haut et levez-le.

USAGE RECOMMANDÉ Ce signe peut servir quand bébé veut qu'on le porte, par exemple quand il se tient à vos pieds et lève son index ; demandez-lui alors « Tu veux que je te porte ? » en lui montrant le signe. Cela évite les cris – je l'ai moi-même beaucoup utilisé avec mes enfants. Vous pouvez aussi l'utiliser quand votre enfant est sur la balançoire.

En bas

Pointez votre index vers le bas et descendez-le.

USAGE RECOMMANDÉ Il s'utilise comme « en haut ». Nous le faisions beaucoup quand Lauren voulait descendre de sa chaise. Elle nous montrait le signe « en bas » et nous l'aidions. Plus grande, elle le combinait souvent avec « tout en bas ». N'est ce pas génial !

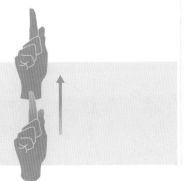

Vouloir, où, tomber

Ces signes sont intéressants pour les bébés actifs qui maîtrisent déjà les signes de base, parce qu'ils leur permettent d'étendre certains concepts. Ils sont souvent combinés à d'autres signes et servent dans beaucoup de situations. Mais vous pouvez aussi les introduire chez les bébés qui débutent avec les signes (surtout «tomber»).

La boîte à chaussures

Une boîte à chaussures ou un paquet de céréales vides vous seront utiles pour apprendre les signes. Vous pouvez renforcer le concept lié à «où» et demander à votre enfant s'il «veut» ce que vous avez caché dans la boîte, introduisant ainsi l'idée de «dedans» et «dehors». Augmentez son vocabulaire en vous servant de jouets, et très vite votre enfant assimilera les signes, mais aussi les concepts.

Vouloir

Placez vos deux mains devant vous, paumes vers le haut, et refermez-les en les ramenant vers vous.

USAGE RECOMMANDÉ Pour vous en souvenir, imaginez que vous saisissez quelque chose et que vous le ramenez vers vous. Vous pouvez utiliser ce signe pour aider votre enfant, par exemple si son livre est tombé derrière le canapé. Il se peut qu'il vous fasse le signe «aider». Profitez-en pour lui faire le signe «aider» en lui demandant : «Tu veux de l'aide?» et introduisez «vouloir» en disant : «Tu veux ton livre? Je vais te le donner».

Où

Pointez votre index et agitez-le sur les côtés, en ayant l'air de vous poser une question (les sourcils levés, la tête inclinée).

USAGE RECOMMANDÉ Vous pouvez l'utiliser avec «La boîte à chaussures» (voir page 66) pour lui apprendre ce concept. Quand il l'aura appris, bébé le fera souvent. Souvenez-vous que l'expression du visage est importante. Pensez-y quand vous introduisez ou renforcez l'utilisation du signe. Cela aide à faire passer le message.

Tomber

Le majeur et l'index pointés de votre main dominante retombent sur la paume de votre autre main.

USAGE RECOMMANDÉ Imaginez qu'un petit bonhomme se tient debout sur votre main pour faire ce signe. Oh, non! Il est tombé! Quand les enfants apprennent à marcher, ils tombent souvent, soit parce qu'ils ne tiennent pas encore en équilibre, soit parce qu'ils ne regardent pas où ils vont. Si votre bébé peut faire le signe correspondant, l'expérience est parfois moins traumatisante pour lui. Vous pouvez associer ce signe à «mal».

Dehors et dedans

Dehors

Sortez votre main de votre autre main.

USAGE RECOMMANDÉ Vous introduisez ainsi le concept de «dehors», que vous pouvez utiliser dans de nombreux jeux, comme avec «La boîte à chaussures» (voir page 66). Combiné avec «dedans», il permettra à votre enfant de s'amuser à placer ces jouets dedans puis dehors.

Dedans

Mettez votre main dans votre autre main.

USAGE RECOMMANDÉ C'est l'inverse de «dehors». Vous pouvez renforcer ces deux concepts quand vous asseyez votre bébé dans une voiture à pédales en disant «dedans» et en répétant «dehors» quand vous l'en sortez.

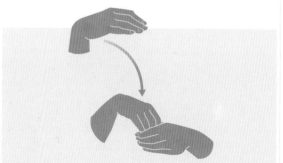

Et maintenant ?

Vous avez beaucoup appris avec les premiers chapitres du livre. Vous savez sûrement mieux voir venir les problèmes et les contourner. Vous êtes peut-être surpris à l'idée que d'autres ont vécu les mêmes expériences, mais soyez certain que vous n'êtes pas le seul. Vous savez maintenant que votre bébé sait communiquer par signes, même si vous n'êtes pas toujours avec lui – il peut le faire avec une gardienne où à la garderie. Vous allez à présent apprendre comment l'échange par signes fonctionne avec d'autres enfants et comment continuer à utiliser les signes alors que votre enfant suit le chemin qui le mènera à la maternelle. Vous découvrirez comment les signes peuvent vous aider à calmer, mais pas à éliminer, les colères et comment faire la connaissance d'autres parents, ou même former votre groupe d'adeptes des signes. Enfin, vous serez heureux d'apprendre l'alphabet et les couleurs, ainsi que les activités qui vous permettront de les introduire dans les jeux d'éveil de votre enfant.

Prêt, feu, partez ! Votre bébé et vous-même allez apprendre de nouveaux signes, concepts et activités.

Combiner les signes

Si vous utilisez les signes depuis longtemps avec votre bébé ou s'il continue de les faire après avoir appris à marcher, il se peut qu'il combine les signes de manière intéressante. Je me souviendrai toujours de Corbin la première fois qu'il a vu la neige tomber. Il regardait par la fenêtre et me faisait les signes «blanc» et «pluie».

Progression naturelle

Tout comme ils commencent naturellement à combiner les mots, les enfants feront de même avec les signes. Cela peut commencer vers leurs 12 mois, mais en général il faut attendre leurs 2 ans. C'est une étape naturelle de l'acquisition du langage (à 2 ans, la plupart des enfants combinent au moins deux mots). L'utilisation des signes étant comparable à ce processus, on peut s'attendre que bébé associe deux signes. Ne soyez pas déçu si votre enfant n'arrive pas à combiner les mots mais le fait pour les signes; sa pratique de la langue des signes renforce son développement de la parole et vice versa.

Associer les signes permet à votre enfant de communiquer plus efficacement. Vous serez surpris et étonné la première fois qu'il le fera et, comme son vocabulaire augmente, il prendra confiance et fera de plus en plus de phrases.

Fini les devinettes

Avec plusieurs signes, votre enfant peut préciser ce qu'il veut ou ce dont il a besoin. Le niveau de communication profite alors à tous en éliminant les différentes options de sens. Vous n'aurez plus à deviner ce qu'il veut; par exemple, quand vous savez qu'il veut son chat en peluche mais qu'il en a deux, il pourra vous dire s'il préfère le vert ou le blanc.

Les progrès de bébé ne s'arrêtent pas là. S'il le veut, il finira par associer trois, quatre ou cinq mots si son vocabulaire est assez varié.

La phrase à cinq signes

Un jour, quand ma fille avait 2 ans, elle jouait avec son lapin en peluche et s'amusait à le faire tomber de la table. Par signes, elle me dit «lapin, tomber, chaussure, noire, maman». En effet, je retrouvai le lapin dans ma chaussure, où il était tombé.

Associations

L'utilisateur de signes confirmé peut combiner plusieurs sortes de signes pour se faire comprendre. Voici certaines des combinaisons les plus courantes :

«plus» + un autre signe

«encore» + un autre signe

une couleur + un objet

une personne ou un objet + «aller»

un objet + «à moi»

«en haut» + un autre signe

«en bas» + un autre signe

Combiner les signes et la parole

En plus de combiner les signes, il arrivera un moment où votre enfant les accompagnera de la parole pour faire une phrase.

Combler le fossé

La plupart des enfants commencent à parler avant d'arrêter l'usage des signes. Celui-ci permet, vous le verrez, de combler le fossé qui se creuse avant que l'enfant n'ait complètement fait l'acquisition du discours. Il n'est pas surprenant que l'enfant associe signes et mots. Cela peut se produire à partir du jour où il prononcera son premier mot.

En passant des signes aux mots, il se peut que votre enfant se serve des signes pour combler ses lacunes en vocabulaire. Les enfants qui connaissent les signes apprendront rapidement les mots, car ils connaissent déjà cet objet, cette action ou ce concept et qu'il ne leur reste plus qu'à mettre à l'épreuve leurs muscles vocaux.

Il se peut aussi qu'il continue à utiliser le signe d'un mot qu'il sait dire. Soit par habitude, soit pour attirer votre attention. Comme les parents et les professionnels de l'enfance ont tendance à faire tout un plat des enfants qui s'expriment par signes, ces derniers en profitent et retournent la situation à leur avantage. Ils se servent aussi

Des signes aux mots

Petit à petit, les signes laissent la place aux mots. Votre enfant connaît déjà le sens de beaucoup de chose grâce aux signes, il parlera donc très vite. Ceux qu'il utilise le plus seront les derniers à disparaître. Mon fils Corbin a d'ailleurs longtemps conservé le signe «s'il te plaît» car il savait que je ne pouvais pas dire non à ce si charmant petit bonhomme qui me disait poliment «s'il te plaît», joignant le geste à la parole.

«C'est merveilleux de pouvoir "parler" à mon enfant à un si jeune âge. Nous sommes sûrs que les signes lui ont permis de parler si bien. Quand elle a commencé à parler, elle utilisait plein de mots et tous les signes qu'elle connaissait pour se faire comprendre.»

Jo Di, mère de Savannah, 12 mois

parfois des signes pour souligner leurs mots. Les bébés utilisent les deux mains pour des signes qui n'en nécessitent qu'une, et de la même manière les plus grands appuieront leur parole d'un signe pour s'assurer que vous le comprenez bien.

Une explosion de mots

Quand votre enfant parlera et utilisera les signes en même temps, attendez-vous à avoir de grandes conversations. Pendant les courses ou au restaurant, tout le monde remarquera votre bébé, bien plus que quand il n'utilisait que les signes. Profitez-en, cela ne durera pas. La plupart des enfants qui commencent à parler apprennent très vite beaucoup de mots.

Combler le fossé

Vous avez la chance d'être un modèle pour l'apprentissage des signes à votre enfant. Une simple phrase vous permet de lui montrer de nombreux signes et de l'encourager à créer ses propres phrases en langue des signes.

Discours télégraphique

Quand ils commencent à parler, les enfants utilisent un style particulier que l'on appelle discours télégraphique. Pensez à un télégramme sur lequel seuls figurent les mots les plus importants : noms, verbes et quelques adjectifs. Même si vous devez utiliser des phrases complètes et les montrer par signes à votre enfant, gardez en tête ce schéma télégraphique pour choisir les signes qui accompagnent votre parole.

« Même si votre bébé n'aura aucune notion de grammaire avant son entrée à l'école, il apprendra à parler en écoutant ceux qui l'entourent, et surtout en vous écoutant. »

Robert E. Owen Jr, docteur en médecine, *Help your Baby Talk*

Quand vous parlez par signes à votre enfant, concentrez-vous sur les mots importants. Lorsqu'il était petit, vous n'utilisiez qu'un signe à la fois, mais maintenant qu'il grandit et qu'il peut mieux comprendre, vous pouvez en utiliser plusieurs pour accompagner vos phrases. Voici un exemple : « Regarde ton ours, il va en haut. » Ne vous contentez pas du signe « ours », complétez avec « regarde » et « en haut ».

Élargir le vocabulaire

Ainsi, vous pourrez élargir le vocabulaire de votre enfant. Plus vous utiliserez de signes dans une conversation, plus votre enfant en apprendra. Apprenez de nouveaux signes chaque semaine et montrez-les-lui. Si c'est trop pour lui, ralentissez, mais, comme pour toutes les langues, plus vous varierez les signes, plus il en connaîtra. Aidez-le aussi à apprendre à combiner lui-même les signes. Utilisez des signes pour former des phrases complexes quand vous communiquez avec vos proches ou interagissez avec votre enfant.

Le choix des mots clés

Concentrez-vous sur les noms, les verbes et quelques adjectifs. Gardez à l'esprit l'intérêt et le désir de votre enfant quand vous choisissez vos mots. Établissez une liste de vocabulaire de base à laquelle vous vous tiendrez pour vos échanges par signes.

8 Calmer les colères

Les signes de stress

L'un des bénéfices les plus vendeurs de l'utilisation de signes avec bébé est qu'elle permet d'éviter ces mouvements d'humeur que l'on appelle aussi crises de colère. Comment ?

Demander de l'aide

Vous levez les yeux et constatez que bébé est en détresse. Il voit que vous le regardez et vous fait plusieurs fois le signe « aider ». Reproduisez ce signe en lui demandant : « Pour quoi as-tu besoin d'aide ? » Il vous montre le plafond en faisant le signe « ballon » que vous venez de lui apprendre (et que vous avez bien répété lors d'une récente petite fête). Vous rattrapez le ballon, le donnez à bébé et tout va bien ; jusqu'à ce qu'il le lâche encore une fois pour que vous le rattrapiez – les enfants adorent ce jeu. « Aider » est bien le signe le plus utile pour l'échange avec bébé. C'est un outil de communication de valeur pour parents et enfants.

Garder le contrôle

Bébé se retrouve souvent dans une situation difficile et s'il ne parle pas il a peu de chances de s'en sortir. Il découvre sa mobilité dans un monde sur lequel il a peu de pouvoir et veut souvent faire des choses qu'il ne peut physiquement accomplir. Par exemple, il a besoin d'aide pour ouvrir une boîte de cubes, pour remplir sa cuillère de macaronis, pour récupérer son jouet préféré derrière le canapé ou pour manipuler le pont-levis de son château fort. Quand ils sont face à des situations sur lesquelles ils ont peu ou pas de contrôle, la frustration que ressentent les enfants finit souvent en pleurs ou en crises de colère. Les parents sont alors stressés ou irritables car il se sentent impuissants.

La langue des signes permet de prévenir les colères ou le stress, car votre enfant dispose d'un outil pour exprimer la nature exacte de ce qu'il veut, de sa peur, de ses désirs ou de ses besoins.

« Si je n'avais dû apprendre que trois signes à Simon, ç'aurait été "lait", "plus" et "fini". L'utilité de "lait" et de "plus" est évidente. Et le fait que Simon puisse me dire qu'il en avait "fini" avec quoi que ce soit (parfois même avant de commencer) m'a évité bien des colères, j'en suis sûre. »

Robin, mère de Simon, 12 mois

Ce n'est pas un remède miracle

Les signes vous aident à prévenir les colères, mais ils n'éliminent pas la frustration et les sautes d'humeur de votre enfant. Avec certains enfants, ils ne vous seront d'ailleurs d'aucune aide. Il est difficile d'évaluer les résultats car vous ne savez pas comment votre enfant aurait réagi sans les signes; aussi, positivez et dites-vous que vous donnez à votre enfant un outil de communication qui lui permet de soulager ses frustrations.

Les signes clés

Chaque parent trouvera les signes les plus appropriés pour lui et son enfant, mais en voici trois que je trouve particulièrement utiles et que je souhaite souligner ici, même s'ils vous sont déjà présentés dans d'autres chapitres. Tout au long de mon expérience de la pratique des signes avec mes enfants ou avec d'autres parents, j'ai voulu mettre l'accent sur ces signes très utiles, et j'espère que vous les ajouterez au vocabulaire de votre bébé.

Bien sûr, d'autres signes vous seront profitables. Mais ces trois-là ont quelque chose de spécial. Ils aident votre enfant à contourner les nombreux obstacles auxquels il est confronté au quotidien et lui donnent la sensation de mieux contrôler le monde qui l'entoure.

Aider

Les résultats que donne ce signe sont rapides. Quand on est petit, la vie est frustrante car on ne peut pas, physiquement, faire tout ce que l'on voudrait. Bébé peut utiliser le signe « aider » dans bien des situations et il est incroyablement efficace. (Voir page 28).

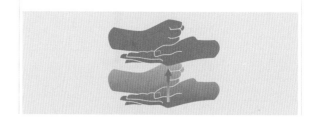

Fini

Apprendre ce signe à votre enfant, c'est lui permettre d'exprimer clairement son opinion sur ses activités. Avant de pouvoir parler, bébé se retrouvera souvent à faire des choses qu'il préférerait ne pas faire ou avec lesquelles il aimerait en finir, et ce signe peut vous éviter de vraies crises de nerf. (Voir page 35.)

S'il te plaît

Ce signe lui permettra d'apprendre à être poli, mais a d'autres bénéfices pour lui. Il lui servira à vous dire qu'il veut vraiment obtenir ou faire quelque chose, et vous pourrez ainsi prendre votre décision en gardant cela en tête. Je ne vous dis pas de céder à chaque fois que votre bébé fait ce signe, mais cela vous aidera à faire attention à ses désirs et à ses besoins. (Voir page 98.)

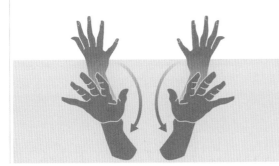

Un heureux événement

Les signes peuvent vous aider à établir une belle connexion entre votre enfant et un nouvel arrivant : votre nouveau-né.

Prévenir la frustration

Il se peut que votre enfant soit frustré vers la fin de votre grossesse si vous êtes moins active et que vous ne jouez plus autant avec lui. Cela risque de provoquer des comportements colériques, que vous pourrez calmer à l'aide des signes, comme nous l'avons vu au chapitre précédent. Avant la future naissance, faites la liste des membres de votre famille qui vous aideront avec votre aîné. Ma belle-mère se chargeait d'emmener Dagan au manège quand Corbin n'était qu'un nouveau-né, je n'oublierai jamais ce geste d'amitié. Veillez à ce que votre famille sache que votre enfant utilise les signes.

Quand le petit dernier grandit, les signes sont très utiles pour créer des liens entre vos deux enfants. Si vous décidez d'introduire les signes avec le deuxième, l'aîné sera certainement ravi de vous aider. Si ce dernier utilise encore les signes, il s'amusera en regardant bébé apprendre. S'il est déjà grand et qu'il a oublié certains signes, il se peut qu'il les redécouvre.

Créer des liens fraternels

Les signes peuvent représenter un lien particulier entre frères et sœurs. Dagan apprit à Corbin les signes que ce dernier refusait d'apprendre avec moi, et Corbin apprit à Lauren plus de signes qu'il n'en connaissait bébé. Apprendre les signes à un plus petit développe la confiance en soi. L'aîné sera fier et le petit, excité de pouvoir communiquer avec son frère. Les signes peuvent aussi devenir un « code secret » entre vos enfants. La possibilité de communiquer sans parler est très attirante pour eux, mais peut-être pas pour vous s'ils préparent des bêtises !

« Les enfants perdent souvent leur capacité à communiquer quand la frustration ou la peur augmente, ou quand une vraie colère éclate. Invitez votre enfant à utiliser les signes au lieu d'en parler. Vous serez surpris par ce que votre enfant arrive à vous dire par signes quand les mots ne veulent pas sortir. »

Dr Michelle Anthony et Dr Reyna Lindert

Premier contact

La plupart des jeunes enfants sont incapables de visualiser un bébé dans le ventre de leur mère, et leur première rencontre après la naissance est donc très excitante. Observez les signes que fait votre enfant en découvrant son petit frère et encouragez-le par signes vous aussi.

« Bébé veut son lait. » Votre aîné peut devenir un agent de la « police du lait » et vous informer que le petit veut son biberon !

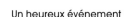

9

Signes avancés

Dépasser «lait» et «maman»

Votre enfant maîtrise les signes que je vous ai présentés jusque-là. Vous en recherchez qui soient adaptés à un enfant plus grand. Ou bien votre bébé ne s'intéresse pas aux signes de base. Les signes que contient ce chapitre vous permettront d'étendre les connaissances de votre enfant et d'introduire de nouveaux concepts qui intéresseront les enfants prêts pour la maternelle.

Jeux et activités

Vous apprendrez comment introduire les signes par le jeu et comment incorporer l'apprentissage de l'alphabet aux activités d'éveil de votre enfant. À ce stade du développement de l'enfant, vous pouvez aussi lui apprendre à compter.

Donner plus de vocabulaire à votre enfant lui permettra d'utiliser le signe «gâteau» à la prochaine fête.

Les moments de jeu sont l'occasion d'introduire et d'apprendre les signes avancés.

À quel âge introduire l'alphabet ?

Vous pouvez commencer quand vous voulez, mais votre enfant n'y prêtera pas beaucoup attention avant ses 18 mois ou ses 2 ans. Récitez-lui l'alphabet en lui montrant les signes. Il se peut qu'il retienne d'abord les lettres de son prénom. Écrivez-le et prononcez-le en lui faisant les signes. Montrez-lui les lettres dans ses livres en les prononçant et en faisant le signe. Ne forcez pas les choses. Comme pour le reste, soyez en accord avec votre enfant ; faites progresser son niveau actuel, mais s'il n'est pas attentif essayez un autre jour.

Et les couleurs ?

Apprendre les couleurs peut être drôle. Vous pouvez les introduire vers 2 ans ou plus tard. Commencez par lui montrer les couleurs primaires (rouge, jaune et bleu), puis introduisez les couleurs secondaires (violet, orange et vert) avant de passer au noir, au blanc, au marron et au rose.

Signes et parole

Votre enfant peut continuer à utiliser les signes bien après avoir appris à parler. Ils peuvent l'aider à explorer des objets ou des concepts qu'il ne sait pas encore verbaliser. Vous savez aussi qu'ils servent à calmer les colères quand votre enfant est incapable de parler ou s'il n'arrive pas à faire quelque chose. J'ai pu remarquer que les signes avaient aidé Corbin à faire preuve d'empathie. Je m'étais blessée à la jambe et longtemps après la guérison il continuait à me faire le signe « mal » en montrant ma jambe. Cela peut aussi être une source de divertissement dans le quotidien de votre enfant, dans ses jeux et pour communiquer.

Mamie, papy, famille

Il se peut que votre enfant veuille connaître les signes pour ses grands-parents, surtout s'ils ont une place importante dans sa vie. La première étape est d'apprendre l'étiquette qui correspond aux différents membres de la famille. Vous pourrez ensuite établir des distinctions (ma belle-mère, c'est «mamie pomme», car elle apporte toujours une pomme à Lauren quand elle nous rend visite).

Approximations et grands-parents

Souvent l'enfant fait rebondir ses mains plusieurs fois au lieu de deux. Si vous voyez sa main rebondir vers son menton ou son front, il parle sûrement de ses grands-parents.

Mamie

Faites le signe «maman» mais, en partant du menton, faites rebondir deux fois votre main.

USAGE RECOMMANDÉ Utilisez-le pour parler des grands-mères de votre enfant quand elles sont là, quand vous approchez de leur maison ou quand vous parlez d'elles. La grand-mère peut aussi utiliser le signe quand elle parle d'elle à bébé. S'il reçoit un cadeau d'elle, faites-le-lui comprendre en utilisant le signe «mamie».

Papy

Ici, c'est le signe «papa» que vous faites rebondir deux fois au niveau du front (ou des tempes).

USAGE RECOMMANDÉ Papy est peut-être rigolo et votre enfant aimera apprendre ce signe. N'oubliez pas de prononcez le mot en faisant le signe et vérifiez que votre enfant comprend que c'est de papy dont vous parlez, et non d'un autre membre de la famille présent dans la pièce.

Famille

Les mains formant un *f* (voir page 101), tenez-les devant vous, jointes par les pouces et les index, et faites un tour jusqu'à ce qu'elles se rencontrent de nouveau.

USAGE RECOMMANDÉ Ce signe est parfait pour les réunions de famille. Dites à bébé «Voici ta famille» en lui montrant le signe.

Brosser les dents, jouer, extérieur

Ces signes sont liés aux activités quotidiennes de votre enfant. Ils lui indiquent à quoi s'attendre chaque jour et lui permettent de toujours «savoir» ce qui se passe dans sa vie.

Brosser les dents

Utilisez votre index comme une brosse à dents et bougez-le de bas en haut devant votre bouche.

USAGE RECOMMANDÉ Ce signe est facile à retenir car il ressemble à ce qu'il représente. Mes enfants adoraient se brosser les dents et ont aimé apprendre ce signe. Quand Lauren avait 3 ans, elle se brossait les dents sans arrêt, juste pour rire, mais elle le faisait le soir car cela faisait partie de son rituel du coucher.

Combien de signes

Les parents se demandent souvent combien de signes introduire au début. Je vous conseille de commencer par six ou plus, comme le recommande le programme «Signing Smart» des docteurs Anthony et Lindert (voir page 13).

Jouer

Vos deux mains formant un *y* (voir page 105), agitez-les depuis les poignets.

USAGE RECOMMANDÉ Montrez-lui le signe quand vous demandez à votre enfant s'il veut jouer. Le concept est assez abstrait pour les plus petits, mais ils feront la connexion en grandissant et s'amuseront.

Extérieur

Attrapez l'air devant votre visage et tirez-le sur le côté.

USAGE RECOMMANDÉ Utilisez-le quand votre enfant regarde dehors ou quand il est clair qu'il voudrait aller jouer dehors. Les mois d'été, il utilisera beaucoup ce signe. Vous pouvez le combiner avec «jouer».

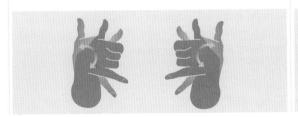

Pomme, raisin, bonbon

V oici quelques signes liés à des aliments amusants. Même si votre enfant ne les mange pas encore avant ses 3 ans (surtout les fruits et légumes crus), vous pouvez lui apprendre les signes plus tôt à l'aide de livres ou d'images, ou même chez l'épicier. Votre enfant aimera apprendre ces signes liés aux aliments, qui lui permettront d'exprimer ses goûts.

Pomme

La main en *x* (voir page 105), faites-la tourner contre votre joue.

USAGE RECOMMANDÉ Le geste ressemble à celui que l'on fait pour arracher la queue d'une pomme. C'est un fruit facile à reconnaître. Montrez-le à votre bébé quand vous êtes à l'épicerie, et plus tard combinez le signe «pomme» à un signe de couleur. Les enfants utilisent souvent «pomme» pour tous les fruits et légumes. Lauren appelait les raisins «petites pommes».

Raisin

Tapotez les doigts d'une main sur le dos de l'autre, en les faisant avancer du poignet vers le bout des doigts.

USAGE RECOMMANDÉ Le mouvement et la forme de votre main ressemblent à une grappe. Les enfants aiment le goût et la texture des fruits, et donc des raisins. Ceux-là ayant différentes couleurs, c'est l'occasion pour vous d'associer un signe d'objet à un signe de couleur. Les raisins sont dangereux à manger pour un bébé; coupez-les en petits morceaux.

Bonbon

Ce signe ressemble à celui de «pomme», mais l'index est pointé près du coin de la bouche.

USAGE RECOMMANDÉ Je ne recommande pas de donner des bonbons aux enfants, mais comme j'ai les pieds sur terre, je sais qu'ils aiment les sucreries. Pour des raisons de comparaison, j'ai mis le signe «bonbon» sur la même page que celui de «pomme»; vos enfants feront d'ailleurs souvent le même signe pour ces deux choses.

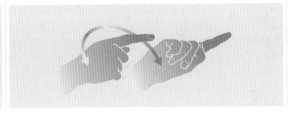

Crème glacée, gâteau, fête

Les fêtes d'anniversaire sont l'occasion d'introduire des signes encore plus intéressants pour votre enfant. Profitez des festivités pour lui apprendre des signes qui ne font pas partie du quotidien. Même si votre bébé n'est pas le roi de la fête, il appréciera de participer aux activités sociales et d'y découvrir de nouveaux aliments.

Bien sûr, tous les enfants ne sont pas très sociables (y compris les miens) et les signes les aideront à se préparer à cette expérience. Les miens préféraient se coller à moi quand ils étaient petits, mais ils aimaient utiliser les signes pour parler de ce qu'ils avaient vécu.

Crème glacée

Tenez votre poing fermé devant votre bouche et bougez-le de bas en haut, comme si vous mangiez un cône.

USAGE RECOMMANDÉ Vous pouvez aussi tirer la langue en faisant ce signe, les deux possibilités sont correctes. Votre enfant sera peut-être déconcerté par la température de cette douceur, qui vous donnera l'occasion de faire le signe «crème glacée» mais aussi de renforcer l'utilisation de «froid».

Gâteau

Faites glisser votre main en forme de *c* (voir page 101) sur votre paume.

USAGE RECOMMANDÉ Ce signe me rappelle le fait de couper un gâteau. Il est parfait pour la première rencontre bébé/gâteau et pour toutes les fois où votre enfant voudra exprimer le plaisir que donne un gâteau. Regarder bébé en manger sa première part est presque mieux que d'en manger soi-même, et cela vous permet d'utiliser de nombreux signes : « gâteau », « manger », « sale » et « propre ».

Fête

Vos deux mains forment un *p* (voir page 103), agitez-les sur les côtés, doigts pointés vers le sol.

USAGE RECOMMANDÉ Le mouvement de vos mains évoque les gens qui dansent à une fête. Utilisez ce signe quand des invités arrivent ou quand vous vous rendez à une fête. Un enfant plus grand peut se souvenir d'une fête et utiliser le signe quand il y repense ou veut partager son expérience.

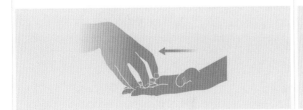

Lion, tigre, canard

Il se peut que votre enfant adore les animaux ; voici donc quelques signes à lui apprendre. Souvent, les enfants mélangent les animaux qui se ressemblent ou font partie de la même famille (le lion et le tigre, le canard et l'oiseau). Comme pour le reste, laissez le temps à votre enfant de classer chaque animal au sein d'un groupe quand il sera prêt.

Lion

Faites glisser votre main de l'avant vers l'arrière de votre tête, sur une crinière imaginaire.

USAGE RECOMMANDÉ Accompagnez ce signe d'un rugissement de colère et bébé sera fasciné. Les enfants aiment les félins, que ce soit ceux du zoo ou en peluche.

Se souvenir des signes représentant les animaux

Ils sont souvent faciles à retenir car ils ressemblent en général à l'animal qu'ils désignent. Cela facilite la tâche aux parents et aux professionnels de l'enfance, surtout quand l'apprentissage s'accélère.

Tigre

Dessinez des rayures de chaque côté de votre visage avec les deux mains.

USAGE RECOMMANDÉ Ce signe ressemble aux rayures du tigre. Soulignez bien les rayures et leurs couleurs. Vous n'avez pas besoin de faire les signes «orange», «noir» et «blanc», mais cela aidera votre enfant à différencier le tigre du lion.

Canard

Formez un bec avec votre index, votre majeur et votre pouce et placez-le devant votre bouche en le fermant et en l'ouvrant.

USAGE RECOMMANDÉ Ce signe ressemble à celui de «oiseau», mais vous pouvez aider votre enfant à le reconnaître en l'accompagnant du cri de l'animal. Couramment, l'enfant utilise toute sa main pour former le bec, tout comme pour «oiseau».

Dessus, au-dessus, maison

«Dessus» et «au-dessus» sont utiles dans de nombreuses situations, alors que «maison» n'a qu'un sens.

En utilisant un signe pour plusieurs exemples, vous explorez le monde et partagez un concept avec votre enfant, qui verra son utilité dans différents contextes. Cela vous permet aussi de répéter le signe souvent; votre enfant en comprendra ainsi mieux le sens et vous n'aurez pas de mal à retenir le signe. Ceux qui n'ont qu'un usage sont souvent motivants. Le désir de les apprendre et de s'en servir pour communiquer est fort. C'est le cas de nombreux signes liés aux émotions.

Dessus

Placez votre main à plat sur votre main dominante, elle aussi à plat.

USAGE RECOMMANDÉ Le signe «dessus» ou «sur» s'applique à bien des situations. Il permet de dire où se trouvent les jouets favoris de bébé, les gens, les choses. Son petit chien est-il «sur» le canapé? Nounours est-il «sur» la table de la cuisine? Veut-il être «sur» la chaise?

Au-dessus

Partez de la position de «dessus», puis levez votre main vers le haut en la décollant de l'autre.

USAGE RECOMMANDÉ C'est le contraire de «dessus». Lauren utilisait ce signe de manière intéressante. Sur les pages d'un livre, il y avait des coccinelles; elle essayait de les décoller en faisant le signe «au-dessus».

Maison

La main en forme de *o* (voir page 103), déplacez-la du coin de votre bouche vers votre joue.

USAGE RECOMMANDÉ Ce signe vous rappelle deux choses que vous faites souvent à la maison: manger et dormir. Utilisez-le quand vous rentrez ou êtes près de rentrer à la maison. Votre enfant fera vite le lien et vous demandera peut-être de rentrer à la «maison» s'il est fatigué ou grognon.

Chaussure, chaussette, arbre

Ces signes vous seront utiles pour le quotidien et pour l'exploration du voisinage. Mettez ses chaussettes et ses chaussures à bébé, il est temps de faire une promenade au parc et d'apprendre les secrets de la nature.

Chaussure

Les mains en forme de *s* (voir page 104) tapez-les l'une contre l'autre au niveau des pouces.

USAGE RECOMMANDÉ Pour faire ce signe, imaginez des talons de chaussures claquant l'un contre l'autre. Les bébés adorent ce signe car il sont fascinés par leurs chaussures, et comme ils en portent tous les jours, le signe est rapidement assimilé. Pour faire ce signe, il faut joindre les deux poings fermés, un peu comme pour «plus», et vous pourriez donc faire la confusion quand bébé vous le fera.

Changer de paysage

Introduire les signes ou les répéter dans de nouvelles situations est bon pour bébé. Changer de décor rend votre quotidien lumineux et fascinant, et bébé n'en montre que plus d'enthousiasme.

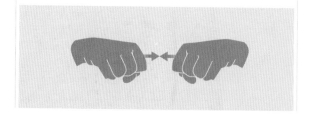

Chaussette

Les deux index pointés vers le bas, faites-les glisser l'un contre l'autre.

USAGE RECOMMANDÉ Montrez le signe à bébé avant de lui mettre ses chaussettes. Pour rendre son apprentissage plus amusant, et si vous ne vous souciez pas trop que ses chaussettes aillent avec ses vêtements, laissez-le en choisir une paire. Cela l'aidera à apprendre le signe.

Arbre

Posez votre coude droit sur le dos de votre main gauche et faites pivoter votre main droite, les doigts écartés.

USAGE RECOMMANDÉ Les doigts représentent les branches de l'arbre. Montrez à bébé les arbres dans le jardin ou dans le parc. Approchez-vous et découvrez-en la texture et les couleurs. Cela est très amusant à l'automne.

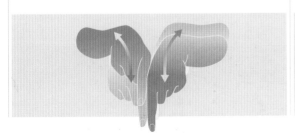

S'il te plaît, merci, moi/à moi

Un enfant poli est un vrai bonheur et un bébé qui connaît quelques signes de politesse est si mignon. Beaucoup d'enfants continueront à utiliser ces signes bien après avoir appris à dire les mots, soit pour insister, soit parce qu'ils savent qu'ils ont l'air adorable en les faisant. Je n'en suis pas sûre, mais il me semble que les parents (moi y compris) cèdent plus facilement si bébé demande quelque chose avec un grand « s'il te plaît ».

S'il te plaît

La main à plat, dessinez des cercles sur votre poitrine.

USAGE RECOMMANDÉ Quand bébé grandit et que vous voyez qu'il veut vraiment quelque chose, introduisez ce signe. Ne lui demandez pas de dire « s'il te plaît », mais encouragez-le en utilisant vous-même le signe quand, par exemple, vous lui dites de vous donner quelque chose.

Il m'envoie un baiser?

Je me rappellerai toujours du premier Halloween de Corbin. Tout le monde non seulement le prenait pour une fille, mais croyait qu'il envoyait des baisers alors qu'il disait poliment merci.

Merci

Votre main s'écarte de votre menton vers le bas en formant un arc.

USAGE RECOMMANDÉ La première fois que votre enfant vous fera ce signe, vous pourriez croire qu'il vous envoie un baiser. C'est du moins ce que penseront la plupart des gens. Vous pouvez faire ce signe encore et encore : quand il vous tend quelque chose, range un jouet, est gentil avec sa sœur ou avec le chien du voisin.

Moi/à moi

Pour «moi», pointez le doigt vers votre poitrine. Pour «à moi», tapotez votre poitrine du plat de la main.

USAGE RECOMMANDÉ Ces deux signes ne sont ni interchangeables ni très polis, mais ils sont importants quand bébé découvre le monde et détermine ce qui est à lui (ou ce qu'il voudrait avoir). Ils vous éviteront bien des cris, sauf si ce que bébé montre en faisant «à moi» n'est vraiment pas à lui.

Lettres : de *a* à *f*

Pour bien faire certains signes, il faut que la main forme une lettre précise. Ces pages vous présentent l'alphabet de la langue des signes américaine qui tend à devenir la langue des signes internationale. Apprendre ces lettres vous aidera à faire correctement les signes et vous amusera.

Vous pouvez introduire l'apprentissage de l'alphabet dès les 2 ans de votre enfant, en faisant les signes tout en le récitant. Commencez par lui apprendre les lettres de son prénom. Écrivez-le en lettres d'imprimerie et montrez chaque lettre en la nommant et en faisant le signe correspondant.

Réciter l'alphabet

Si cette activité n'intéresse pas bébé (ce qui est souvent le cas avant un certain âge), vous pouvez essayer de réciter l'alphabet en le chantant. Avant de faire les signes à votre bébé, répétez-les bien pour qu'ils vous viennent plus naturellement. Votre enfant ne pourra sûrement pas les reproduire tout de suite, mais s'il aime cette récitation, il verra l'utilisation des signes comme un jeu.

Former les lettres

Votre enfant aura du mal à reproduire la forme exacte des lettres. Aidez-le physiquement à le faire, s'il veut bien. Sinon, laissez le temps faire ; comme vous le savez déjà, bébé gagne en précision en grandissant et à force de pratique.

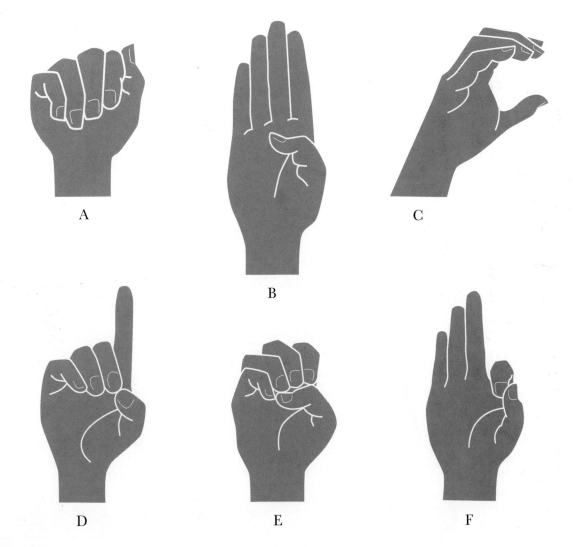

A

B

C

D

E

F

Lettres : de *g* à *q*

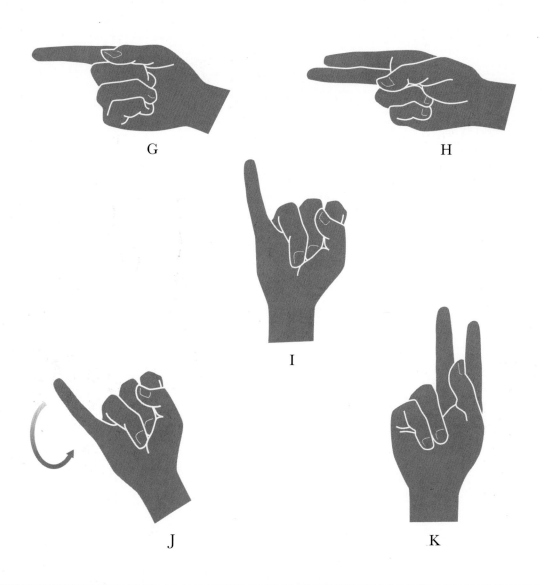

G

H

I

J

K

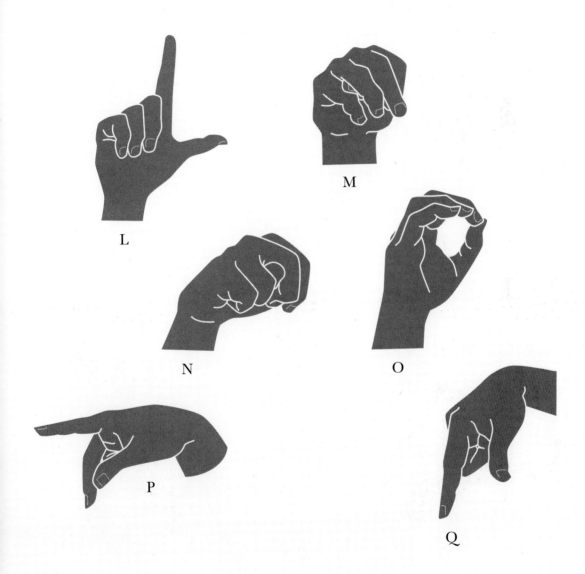

L

M

N

O

P

Q

Lettres : de *r* à *z*

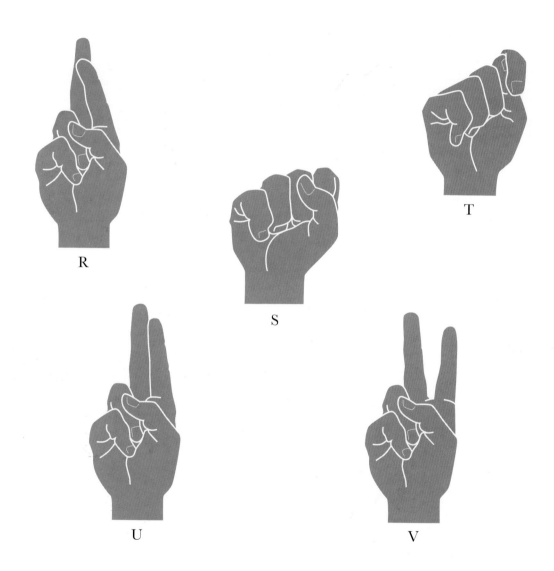

R

S

T

U

V

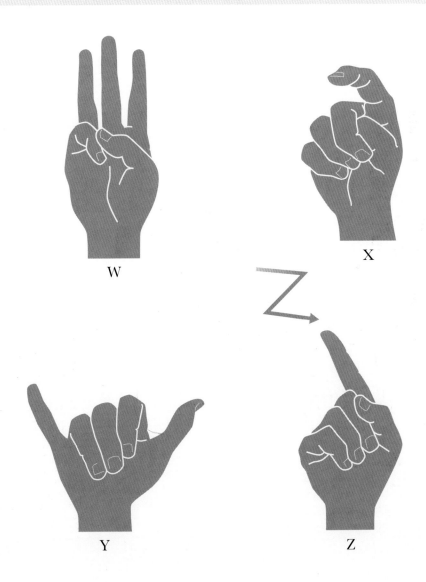

W

X

Y

Z

Les couleurs : rouge, bleu, jaune

Apprendre les couleurs est un moyen amusant d'élargir votre champ de communication par signes; de plus, vous pouvez les combiner avec bien des objets et situations. Montrez à bébé un objet familier et indiquez-en la couleur. Commencez par le rouge, le bleu et le jaune, les trois couleurs primaires. Pour les introduire, vous pouvez soit utiliser un échantillon de la couleur elle-même, soit un objet pour lequel bébé connaît déjà le signe.

La vie en bleu

Les enfants ont souvent tendance à regrouper les choses similaires dans une seule catégorie, ce qui est une étape normale de leur développement, et ils choisissent une seule étiquette pour désigner tout ce qui rentre dans une catégorie. Cela peut être le cas avec les couleurs. Mon fils apprit le signe et le mot «bleu» en premier, et pendant un bon mois tout était bleu, jusqu'à ce qu'il finisse par comprendre le concept de couleur.

Rouge

Agitez votre index depuis votre lèvre inférieure vers le bas.

USAGE RECOMMANDÉ Montrez ce signe à bébé pour tout ce qui est rouge. Pour vous en souvenir, pensez au rouge de vos lèvres. Voici quelques exemples de choses rouges : une coccinelle, un camion de pompier, des fraises, des roses.

Bleu

Votre main en forme de *b* (voir page 101)
s'agite d'avant en arrière.

USAGE RECOMMANDÉ La forme de ce signe
vous aide à le retenir : *b* comme «bleu».
Montrez à bébé le ciel, des bleuets, son tee-
shirt préféré ou les étoiles que vous avez
coloriées en bleu dans son livre de coloriage.

Jaune

Votre main en forme de *y* (voir page 105)
s'agite d'avant en arrière.

USAGE RECOMMANDÉ Cherchez du jaune
dans l'environnement de bébé. Le soleil est
un bon exemple, mais, bien sûr, seulement en
illustration. Montrez à votre enfant les fleurs
jaunes, un citron, son canard en plastique.

Les couleurs : vert, orange, violet

Votre prochaine étape est de passer aux couleurs secondaires : vert, orange et violet. Pour faire certains signes liés aux couleurs, le mouvement est le même et c'est la forme de la main qui fait la différence. La lettre que vous formez correspond parfois à la première lettre de la couleur. Les signes « bleu », « jaune », « vert » et « violet » sont très similaires, il se peut donc que bébé fasse tous les signes de la même manière.

Je veux le vert !

Parfois bébé veut quelque chose dont il ignore le nom et le signe. S'il connaît les couleurs par leur nom ou leur signe, vous pouvez alors lui demander : « De quelle couleur ? » Si bébé vous indique la couleur de ce qu'il veut, il vous sera plus facile de trouver ce dont il s'agit.

Vert

Votre main en forme de *g* (voir page 102) s'agite d'avant en arrière.

USAGE RECOMMANDÉ La nature est pleine de vert, aussi profitez de vos balades pour introduire ce signe. Commencez par l'herbe, les feuilles, certains insectes. Vous verrez peut-être une grenouille ! Vous pouvez aussi utiliser les aliments, les haricots verts, par exemple.

Orange

Tenez votre menton dans votre poing et faites comme si vous le dévissiez.

USAGE RECOMMANDÉ Pour vous souvenir de ce signe, pensez à une orange qu'on presse. Le fruit ou un verre de son jus sont un bon point de départ. Vous pouvez ensuite montrer à votre enfant des fleurs orange, un ballon de basket ou des vêtements orange.

Violet

Votre main en forme de *p* (voir page 103) s'agite d'avant en arrière.

USAGE RECOMMANDÉ On trouve du violet partout. Montrez à votre bébé les violettes, une paire de chaussures, un de ses personnages de dessin animé préféré.

 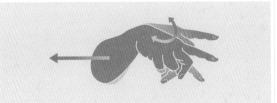

Les couleurs : noir, marron, rose

Ces couleurs sont plus difficiles à apprendre. J'ai attendu que mes enfants connaissent les signes des couleurs primaires et secondaires pour les introduire.

Faire le signe «blanc»

On trouve beaucoup de blanc dans la nature, par exemple sur les animaux. Pour faire ce signe, faites comme si vous tiriez sur votre tee-shirt : les doigts pointés vers votre poitrine et en forme de pince, tirez-les vers l'arrière. Pour introduire ce signe, vous pouvez porter un haut blanc. Comparez un chien blanc à un chien d'une autre couleur pour que bébé comprenne. Vous pouvez aussi lui montrer les nuages, une enveloppe, la neige ou de la purée de pommes de terre.

Noir

Avec votre index, tracez une ligne horizontale sur votre front.

USAGE RECOMMANDÉ Pensez à de gros sourcils noirs. Aidez bébé à utiliser ce signe en lui montrant le chat noir ou ses chaussures noires. Il se peut qu'il fasse le signe la nuit s'il remarque que le ciel est sombre.

Marron

Votre main en forme de *b* (voir page 101) glisse le long de votre joue jusqu'à votre bouche.

USAGE RECOMMANDÉ La forme est la même que pour «bleu» mais le mouvement différencie les deux signes. Lauren confondait souvent cette couleur avec le noir mais finit par la reconnaître. Le fait d'avoir un chien noir charbon l'aida beaucoup. Voici quelques exemples de choses marron: le pain, les cheveux, les yeux, certains animaux et le chocolat.

Rose

Frottez votre bouche avec le majeur de votre main en forme de *p* (voir page 103).

USAGE RECOMMANDÉ C'est le même signe que pour «rouge», mais avec la main en forme de *p*. Montrez à votre enfant des fleurs, une paire de gants roses, un glaçage ou un jouet rose.

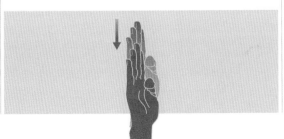

Faire le bilan des progrès

Félicitations! Vous connaissez maintenant de nombreux signes que vous pouvez apprendre à vos enfants. J'ai divisé les signes en chapitres afin d'établir pour vous une ligne de progression, mais je vous invite à piocher dans le chapitre qui vous plaira ou en fonction des besoins de votre enfant.

Vos acquis

Vous avez à présent en main les outils qui vous permettront de parler par signes d'objets, de personnes, d'actions, d'endroits, de désirs, d'activités, de lettres et de couleurs. Vous connaissez la différence entre signes liés aux émotions et signes liés aux besoins de base, et vous avez sélectionné parmi eux ceux que vous apprendrez à bébé.

Si vous continuez à utiliser les signes avec votre enfant, il se peut que vous en ayez besoin d'un qui n'est pas illustré dans ce livre. Consultez alors un dictionnaire de langue des signes.

«En apprenant la langue des signes à ma fille, je fus capable de me mettre dans sa tête et de comprendre ses associations d'idées, ce qui fut pour moi une expérience incroyable. Un jour que je vidais le lave-vaisselle, elle prit sa timbale à couvercle, posa dessus un autre couvercle et me fit le signe "chapeau" en tournant vers moi un visage coquin. Quelle idiote je fais! Sans son signe, je me serais contentée de croire qu'elle s'amusait juste à les empiler.»

Eileen Landio, orthophoniste

Et maintenant?

Dans les pages suivantes, vous verrez comment les signes accompagneront votre enfant qui grandit, et je vous expliquerai comment rencontrer d'autres parents et enfants qui communiquent par signes.

Bébé grandit, mais vous pouvez toujours utiliser les signes et en tirer les bénéfices.

Combiner les signes

Quand l'intérêt de bébé pour les signes grandit, encouragez-le en commençant à les combiner. Servez-vous des signes de couleurs. Si vous montrez à votre enfant celui de la couleur d'un animal dont il connaît déjà le signe, associez les deux. Il se peut qu'il commence à le faire de lui-même avec ceux qu'il maîtrise bien.

10

Signes et apparition du langage

Premiers pas et premiers mots

En apprenant à parler, il est probable que bébé n'utilise plus les signes de choses qu'il pourra dire. Pour beaucoup d'entre vous, les signes auront alors rempli leur mission d'outil de communication préverbale. Pourtant, certains souhaiteront continuer de les utiliser. Vous avez peut-être un proche malentendant et l'expérience vécue avec bébé a éveillé en vous un intérêt particulier pour l'ASL. Il y a de bonnes raisons de continuer après que bébé a appris à parler.

Pour continuer ?

Tout au long du développement de leurs facultés de communication, comme je l'ai déjà dit, les enfant combineront signes et mots. C'est une bonne occasion de parfaire vos échanges par signes et d'accroître votre vocabulaire. Vous pouvez être tenté d'abandonner les signes, ce qui

est bien normal si vous considérez qu'ils ne faisaient que combler le fossé de la communication entre le stade préverbal et la parole. Toutefois, les enfants commencent à parler avant de maîtriser complètement les signes, et vous pouvez profiter de cette occasion pour leur apprendre l'ASL comme seconde langue.

Un réel avantage

L'explosion de signes de votre bébé a peut-être déjà eu lieu, mais tout n'est pas fini. Une fois qu'il aura compris le concept de la langue des signes et réalisé qu'il s'agit d'un incroyable outil de communication, il voudra sûrement apprendre plus de signes pour parler de ce qu'il découvre ou fait au quotidien. Un enfant qui aura profité des avantages de l'utilisation des signes très jeune apprendra plus facilement de nouveaux mots.

«Avant même que bébé prononce ses premiers mots, étape que les parents adorent, il se peut qu'il invente les siens propres. Bien qu'il ne s'agisse pas de mots à proprement parler, vous pouvez les considérer comme tels car il les utilise constamment, et dans le même contexte.»

Robert E. Owen Jr, docteur en médecine

Les plus grands aussi apprennent très vite ce qui est nouveau, comme la langue des signes.

Les retards de langage

Pour tout problème lié au développement de votre enfant, en rapport ou non avec le langage, consultez un pédiatre. Gardez à l'esprit qu'à 2 ans un enfant a environ cinquante mots à son vocabulaire et commence à faire des phrases de deux mots. Ce n'est pas une règle mais une référence, et si votre enfant en est très loin, envisagez peut-être de consulter un spécialiste.

Quand le stress empêche bébé de parler, les signes peuvent être bien utiles.

Les signes et les plus grands

Que votre enfant maîtrise ou non les signes, il existe de nombreuses manières de le convier à des activités utilisant les signes et de parfaire ses connaissances et les vôtres. Ces activités sont idéales pour les plus grands, mais vous pouvez très bien y faire participer les plus petits, qui, même s'ils ne se servent pas encore beaucoup des signes, profiteront de l'expérience.

En promenade

Il est toujours bon de faire une promenade dans la nature avec votre enfant, et si vous en profitez pour lui apprendre de nouveaux signes, l'expérience n'est que plus bénéfique. Incorporez ce que vous voyez à vos conversations (posez-lui des questions et laissez-lui le temps d'y répondre et de vous faire part de ses pensées). Montrez-lui ce que vous voyez en faisant le signe

Certaines fêtes sont une occasion idéale pour introduire ou consolider la langue des signes.

« Quand les parents poursuivent l'utilisation des signes après l'apparition des premiers mots, leurs enfants continuent de faire des signes alors qu'ils parlent. Les parents peuvent aussi les inciter à utiliser les signes quand les mots ne sont pas clairs. Cette pratique offre aux parents un outil supplémentaire pour mieux comprendre le langage de leurs enfants. »

Dr Michelle Anthony et Dr Reyna Lindert

correspondant (par exemple «fleur», «arbre», «oiseau») et laissez-le vous parler des couleurs, des objets et de tout ce qu'il voit.

C'est la fête

Les fêtes et les vacances sont de très bonnes occasions pour communiquer par signes. Votre enfant sera ébloui par la fête et ses délices. Avant une réunion de famille, vous pouvez apprendre les signes «famille», «fête», «gâteau», «lumière», «crème glacée» et bien d'autres. Restez près de votre enfant et attendez le bon moment pour introduire un nouveau signe. Les éléments liés aux vacances sont aussi intéressants à apprendre et peuvent vous permettre d'introduire des notions de culture et de religion.

Les livres

Les livres favorisent le développement mental de votre enfant, vous permettent d'interagir avec lui et vous offrent l'opportunité d'introduire de nombreux signes. Vous y trouverez des sujets appropriés et intéressants pour communiquer par signes. Montrez à votre enfant les objets, les couleurs, et quand il grandit, les lettres pour lesquelles vous l'aideriez à former les signes. Si vous utilisez souvent le même livre, il se peut que vous surpreniez bébé en train de le feuilleter tout en reproduisant les signes que vous avez l'habitude de lui faire.

Au zoo

C'est un endroit parfait pour enseigner plusieurs signes à bébé en un jour. Apprenez suffisamment de signes pour satisfaire à la demande de bébé quand il verra les animaux sauvages et domestiques. Attendez-vous à ce qu'il soit un peu confus face à certains animaux étranges, comme l'okapi, qu'il prendra pour un cheval ou un zèbre alors qu'il appartient à la famille des girafes.

Utiliser les signes après la maternelle

En plus des activités encourageant l'utilisation des signes, vous pouvez poursuivre vos échanges quand votre enfant est plus grand.

Même s'il maîtrise déjà de nombreux mots, continuer de parler par signes avec votre enfant lui permettra de pouvoir non seulement communiquer avec ses camarades malentendants à l'école, mais aussi d'avoir un moyen de converser avec vous sans paroles.

L'enfant au stade verbal

Apprendre la langue des signes à un enfant qui parle suit le même processus qu'avec un bébé, mais avec une plus grande motivation de votre part. Souvent, quand bébé commence à parler, il abandonne le signe de chaque mot qu'il apprend, et les parents perdent l'habitude de les utiliser pour la simple et bonne raison qu'il n'est plus nécessaire à la communication. Pour la plupart des parents (voire tous), l'utilisation des signes avec bébé est un exercice temporaire, mais certains souhaitent maintenir leur utilisation pour les raisons mentionnées ci-dessus.

Le maintien de l'échange par signes

Si vous apprenez l'ASL (avec des cours ou auprès d'amis malentendants), utiliser vos mains en plus des mots pour communiquer deviendra une seconde nature. Comme pour une autre langue, votre enfant apprendra la langue des signes à condition que vous la pratiquiez avec constance. Le fait de vous voir communiquer par signes avec d'autre que lui l'aidera aussi.

Si vous ne souhaitez pas apprendre l'ASL, vous pouvez toujours choisir quelques signes utiles (comme vous le faites pour bébé). Les bénéfices qu'en tirera votre enfant resteront les mêmes et cela l'amusera.

Si vous envisagez de continuer à utiliser les signes après la maternelle, vous devriez songer à suivre des cours afin d'acquérir la grammaire et le contexte propres à une langue des signes telle que l'ASL. Recherchez les adresses des cours en formation continue ou proposés dans le cadre des activités municipales. Il existe même des cours de langue des signes pour enfants.

Faire le signe «pot» est plus discret que s'il se met à crier «popo».

11 Échanges

Rencontrer d'autres adeptes

Échanger par signes avec bébé et partager cette expérience avec votre famille est fantastique. Toutefois, même s'ils vous soutiennent, vos parents n'utiliseront peut-être pas les signes avec bébé. Aussi, il est important de rencontrer d'autres parents qui le font.

Les bénéfices

Rencontrer d'autres parents peut être bénéfique. Leurs progrès vous encouragent, comme leur ténacité. Vous pouvez échanger des astuces et des stratégies, et leur faire part de ce qui fonctionne avec votre bébé. Il est amusant de voir les signes que leurs enfants connaissent ou sont en train d'apprendre. Il y a des chances pour que ce ne soit pas les mêmes que les vôtres, et c'est donc l'occasion d'en apprendre de nouveaux. Il se peut que votre enfant fasse déjà partie d'un

groupe de jeu. Si c'est le cas, interrogez les autres parents pour savoir s'ils utilisent les signes et regardez si certains bébés le font. Si vos plus grands vont déjà à l'école, il y a peut-être d'autres parents qui ont des enfants plus jeunes avec lesquels ils communiquent par signes.

Rencontrer d'autres parents est un plaisir, surtout quand vous partagez la pratique des signes.

Présentez-vous

Si vous êtes plus aventureux, recherchez parmi les gens que vous ne connaissez pas : cette maman que vous croisez toujours au supermarché ou cette autre de la bibliothèque. Le square est aussi un lieu d'échange pour les parents qui ne se connaissent pas.

Souvenez-vous : quand vous étiez enceinte, vous voyiez soudain des femmes enceintes et des bébés partout. Et si c'était pareil pour les signes ? Plus conscient de l'utilisation des signes, vous remarquerez plus facilement les gens qui s'en servent. Plus les échanges par signes avec bébé deviennent populaires, plus vous serez nombreux. Fort de vos connaissances en langue des signes, présentez-vous aux autres. Tout comme les gens intrigués par vos échanges pourraient le faire.

De nouveaux amis

Rencontrer d'autres parents est utile et vous donne aussi l'occasion de vous faire de nouveaux amis. Vous avez automatiquement quelque chose en commun, ce qui facilite la communication. Avoir un but commun (échanger par signes avec bébé) ne vous garantit pas une longue amitié, mais peut en faire naître une.

Trouver un groupe de jeu qui utilise les signes

En plus de chercher à rencontrer d'autres parents dans votre environnement social, vous pouvez vous renseigner sur les groupes de jeu ou cours spécialisés en langue des signes pour bébé.

Demandez autour de vous

Trouver un groupe de jeu peut être facile ou long. Tout dépend de la publicité que fait ce groupe. Je vous suggère donc de demander aux parents qui utilisent les signes que vous connaissez. Suivent-ils des cours ? Connaissent-ils un groupe ? Vous pouvez aussi vous renseigner auprès des services scolaires. Appelez-les pour savoir s'ils ont des classes au sein de leur département ou s'il existe des classes privées. Certaines boutiques pour enfants (librairies, magasins de jouets) proposent des groupes de jeu dans leur magasin ou disposent de tableaux d'annonces. Renseignez-vous auprès du personnel. Vous pouvez aussi demander à votre pédiatre ou aux parents dans sa salle d'attente.

Faites passer l'information

Consultez les pages de votre journal ou de magazines spécialisés. Faites savoir autour de vous que vous cherchez un groupe pratiquant la langue des signes pour accéder plus vite aux bonnes offres. En trouver un est long, mais y participer, s'y amuser et apprendre est un jeu d'enfant !

Imaginez les possibilités qui s'offrent à vous quand vous vous réunissez avec d'autres familles utilisant les signes.

Les groupes

De nombreuses structures proposent des ateliers, des cours et des groupes de jeu pour les bébés et les parents utilisant les signes. Elles ont des sites Internet afin de vous aider à trouver le cours le plus proche de chez vous. La plupart sont payantes, mais c'est un bon investissement qui vous permettra de rencontrer d'autres parents et de voir l'utilisation des signes mise en pratique.

Créer votre groupe

Si vos recherches ont échoué, vous souhaitez peut-être créer votre groupe. Cela sera gratifiant et amusant, mais vous demandera de l'organisation et du travail.

Motivation et organisation

La première chose dont vous aurez besoin, c'est d'une bonne dose de motivation. Pour commencer, votre désir de rencontrer d'autres parents doit être fort. Le soutien de vos amis et parents est aussi important et peut vous donner des opportunités et des ressources dont vous ignoriez l'existence.

Ensuite, vous devrez planifier les réunions. Concentrez-vous d'abord sur l'aspect concret : quel jour et à quelle heure. Voulez-vous les faire le soir, la fin de semaine ? Souhaitez-vous limiter le nombre de participants ? Si vous êtes mère au foyer, vous préférez peut-être un jour en semaine. À quelle fréquence tenir les réunions ? Mensuelle ou hebdomadaire ?

Fixer vos objectifs

Enfin, déterminez les objectifs de vos réunions. Voulez-vous simplement permettre aux gens de se rencontrer, de se réunir et d'échanger leurs progrès tout en jouant avec les enfants ? Ou souhaitez-vous transmettre ce que vous avez appris à d'autres et créer un environnement d'apprentissage ? Prendre cette décision facilitera le fonctionnement futur de votre groupe.

Trouver un lieu de réunion pourrait bien être le plus difficile. Si vos réunions sont gratuites, pensez à la bibliothèque locale ou à votre église. Votre maison est aussi une option si donner votre adresse et votre numéro de téléphone ne vous pose pas de problèmes. Vous pouvez aussi demander aux magasins pour enfants proches de chez vous s'ils accepteraient de vous héberger. Le parc ou un centre commercial peuvent aussi être envisagés.

Accrochez des affichettes dans le voisinage est un bon moyen pour commencer à rencontrer d'autres parents.

Faites votre pub

Composez une affichette à l'aide de votre ordinateur et distribuez-en partout en ville : à l'épicerie, à la garderie, au centre commercial, etc. Pensez aux endroits que les parents fréquentent. Emportez votre ruban adhésif et demandez toujours l'autorisation d'accrocher vos affichettes. Donnez un numéro de téléphone ou un courriel auxquels on peut vous contacter. Si votre offre est gratuite, signalez-le en gros caractères. Créer votre groupe peut être si amusant !

Publicité gratuite

Certains supports vous offrent une publicité gratuite. Je vous suggère de vous renseigner auprès de votre journal municipal ou de votre télévision locale. Il se peut que vous finissiez devant la caméra pour faire la publicité de vos prochaines réunions.

Lectures additionnelles

Les Éditions Caractère

Les Éditions Caractère proposent des livres auxquels se référer à tout moment, dès que survient un incident ou que vous vous posez une question. Tous mettent l'accent sur la prévention naturelle et ont pour but unique votre bonne santé mentale et physique et celle de votre enfant.

La nutrition au féminin
Le guide complet de l'alimentation pour les femmes de tous âges
Nathalie Jobin et Marilyn Manceau

Le développement de votre enfant
Des tests élaborés par des professionnels à faire chez soi pour mieux comprendre son enfant, l'aider à grandir et réussir sa vie d'adulte
Dorothy Einon

Le grand livre de l'amour
Trace Moroney

Le grand livre des activités, danses, histoires, jeux et recettes pour les 2 à 7 ans
Plus de 600 activités
Pam Schiller et Jackie Silberg

Les aliments contre la maladie
Les aliments à privilégier pour vivre en meilleure santé, prévenir et combattre les maladies
Suzannah Olivier

Les alternatives au Ritalin
Francis Brière et Christian Savard

Le sommeil chez l'enfant
Conseils, techniques, statistiques, mythes et bien plus!
Bonny Reichert

Péril en la demeure
Les conséquences de la médication, des garderies et autres substituts parentaux
Mary Eberstadt

Ultra prévention
Un programme de 6 semaines pour une vie entière en santé
Mark Hyman et Mark Liponis

Index

index

Remerciements

Tout d'abord, je souhaite remercier mon mari Kevin pour l'aide qu'il m'a apportée au cours de l'écriture de cet ouvrage. C'est un partenaire, un ami, un supporter génial et un père fantastique.

Je souhaite aussi remercier mes parents et ma belle-mère pour leur soutien et parce qu'ils sont des grands-parents champions en langue des signes. Mon amie Sarah m'a (comme toujours) prêté une oreille attentive et m'a beaucoup encouragée (je ne pourrais espérer meilleure amie). Corrie Robin, Erika et mon équipe «très privée» m'ont été d'une grande aide.

Merci aussi aux parents qui m'ont aidée pour ce livre ; ceux qui y ont contribué et ceux qui sont simplement des parents formidables. Votre expérience me motive au quotidien.

Merci aux experts en langue des signes pour bébés dont j'ai consulté les écrits: Dr Michelle Anthony, Dr Reyna Lindert, Dr Linda Acredolo, Dr Susan Goodwyn et Dr Joseph Garcia. Tant de familles apprécient vos recherches, votre labeur et votre dévouement. Je remercie tout spécialement les Drs Anthony et Acredolo pour leur aide directe.

Toutefois, mon inspiration me vient de mes trois enfants, Dagan, Corbin et Lauren. Vous continuez à m'étonner chaque jour par votre beauté et votre intelligence. Merci d'être mes bébés.

À la mémoire de
JORDANA ROSE ROSS
04/07/04 – 24/06/05